Récits de femmes impudiques

NATHALIE PERRON

Récits de femmes impudiques

nouvelles érotiques

Les Éditions des Intouchables bénéficient du soutien financier de la SODEC, du PADIÉ et sont inscrites au Programme de subvention globale du Conseil des Arts du Canada.

LES ÉDITIONS DES INTOUCHABLES
4674, rue de Bordeaux
Montréal, Québec
H2H 2A1
Téléphone : (514) 529-8708
Télécopieur : (514) 529-7780
intouchables@yahoo.com

DISTRIBUTION :
Prologue
1650, boulevard Lionel-Bertrand
Boisbriand, Québec
J7H 1N7
Téléphone : (450) 434-0306
Télécopieur : (450) 434-2627
prologue@prologue.com

Impression : AGMV-Marquis
Infographie : Yolande Martel
Photographie de couverture : Éric Mongeau
Maquette de couverture : Jean-François Lévis

Dépôt légal : 2000
Bibliothèque nationale du Québec
Bibliothèque nationale du Canada

ISBN 2-89549-022-8

DÉTOUR NATURE

La nuit était opaque, la noirceur épaisse. Je sortis du chalet avec le désir de me fondre dans ce milieu naturel et de m'abandonner à mon état primitif.

J'avais envie de retrouver le plaisir sans sophistication, sans artifice, le plaisir brut de sentir, de toucher, de goûter. Et cette noirceur m'offrait l'anonymat dont j'avais besoin. On n'y voyait rien à des mètres et des mètres à la ronde et, à cette heure, il n'y avait âme qui vive dans ce village de montagne bien isolé.

Une fois dehors, sous cette lune quasi inexistante et dans la chaleur accablante, je décidai de me libérer de mes vêtements. D'abord, j'enlevai mes chaussures et sentis le frôlement de l'herbe sous mes pieds. Ce doux chatouillis m'incita à continuer et me plongea dans la recherche de nouveaux plaisirs. J'enlevai ma courte jupe et ma minuscule culotte et m'assis par terre pour rouler mes fesses dans l'herbe humide. L'humidité du gazon devint vite mienne et je ne pus résister à l'envie de plonger mes doigts dans ma moiteur, ma rosée de fin de soirée. Mes petits doigts fureteurs s'amusèrent à ouvrir doucement l'enveloppe protectrice de mon bouton magique et je sentis son bourgeon augmenter de volume.

Cette humidité, ces cris d'animaux autour de moi m'excitaient encore davantage. J'enlevai mon chemisier blanc déjà bien amolli par ma chaleur et découvris mes seins dont les pointes déjà bien dressées m'appelaient. Ces pointes bien dures, pointes de volupté, les toucher, les pétrir me mirent en contact direct avec mon bourgeon maintenant bien éclos et je m'affolai de plus en plus. J'eus envie de poursuivre cette quête en quittant ce lieu sûr pour vagabonder dans cette forêt qui m'apparaissait de plus en plus magique et pleine de promesses.

Je décidai de prendre ce sentier encore inexploré qui me semblait plus obscur encore sous cette faible lueur lunaire. L'obscurité n'était-elle pas la complice des plaisirs corporels ? Qui n'avait jamais profité de la noirceur pour se laisser aller à ses penchants les plus bas, les plus vils ? Qui avait osé toucher ces zones si sensitives en pleine clarté ? La noirceur occultait l'humain en moi et me permettait de devenir un être sensuel et instinctif. La nuit effaçait tous les interdits et toutes les retenues pourtant bien ancrés dans mon surmoi.

La nuit m'ouvrait la porte vers mon ça, vers mon instinct, et m'indiquait le chemin à suivre, m'entraînait vers des espaces laissés vierges par mon éducation, virginité dont j'étais bien décidée à me libérer.

J'avançai sur ce chemin sablonneux et légèrement rocailleux et laissai le vent se faufiler dans tous les recoins habituellement bien protégés par mes vêtements. Tous mes sens étaient à l'affût des bienfaits ressentis et à venir.

C'est alors que j'entendis des bruits de pas venir dans ma direction. Était-ce mon imagination ? J'étais là, complètement nue, et n'avais aucun désir de me cacher ou de camoufler ma nudité. Non, une fois la surprise passée, j'attendais la venue de l'inconnu avec excitation et délectation.

C'est à ce moment que je vis un immense berger allemand courir vers moi. Si le maître était de l'étoffe de l'animal, cela augurait fort bien. Les pas se rapprochaient et, à mon grand plaisir, je m'aperçus qu'effectivement l'homme ressemblait à sa bête.

Pourquoi à le voir venir ainsi vers moi n'ai-je ressenti aucune pudeur ? Pourquoi à mon tour ai-je pris l'initiative de m'avancer vers lui ? Je mouillais juste à l'idée que bientôt ses yeux allaient se poser sur moi. Au détour du sentier je me retrouvai devant lui, les seins invitants, la chatte bien mouillée et les yeux pleins de convoitise.

Ce sera avec toi, mon bel inconnu, que je perdrai toute innocence. En fait, ce ne fut pas tant la beauté de son visage qui me mit en état de pâmoison que ce demi-sourire et ce regard lubrique qui me confirmaient que cette randonnée nocturne avait été une excellente idée.

Aucun mot ne sortit de nos bouches mais ses lèvres vinrent rapidement se poser sur ma poitrine comme s'il savait ce que j'attendais de lui. Il saisit mes seins, les suça, les mordilla avec raffinement et férocité. Je me sentais au septième ciel et c'est lorsqu'il fit descendre ses mains le long de mon ventre que j'entrepris de le déshabiller et d'explorer cet animal au corps bien humain.

J'enlevai son chandail, me collai à son torse et sentis les battements de son cœur affolé. À mon tour, j'approchai mes lèvres de ces pointes durcies et laissai ma main vagabonder jusqu'à sa ceinture que je défis avec impatience.

Libérant son sexe déjà bien costaud, je m'amusai à laisser courir mes doigts de son anus à ses testicules et entendis ses soupirs exaltés. Je sentis la chaleur de son souffle sur mon épaule quand il me prit dans ses bras pour m'étendre sur un lit de feuilles bien frais. Il se débarrassa de ce qui lui restait de vêtements et se coucha près de moi.

Nous étions là, fous de désir l'un pour l'autre, quand son chien revint vers nous, tout agité. J'entendis alors sa voix pour la première fois quand il ordonna à son animal de s'asseoir là, tout près, et d'attendre.

Ce voyeur inattendu ne venait qu'ajouter à mon délire. Ce regard impudique et franc me mit à nu une seconde fois. Je m'enflammai et sautai sur mon amant et sa panoplie bien fournie. Gourmande je fus en remplissant ma bouche de son gourdin et en m'amusant à le lécher à n'en plus finir. Les sons qui me parvinrent aux oreilles me convainquirent qu'il n'avait aucune envie de se défendre.

Je remontai lentement, élargis moi-même l'ouverture de mon sexe entrouvert et me laissai empaler par mon esclave. Son membre de dimension plus que raisonnable me réchauffa les entrailles. Il se mit à bouger en moi, à aller et venir à un rythme de plus en plus rapide et c'est là, les yeux fixés sur mon voyeur bien opportun, que je jouis pour la première fois. Un orgasme éblouissant et libérateur, mais non suffisant.

Craignant d'être abandonnée par cette source de plaisirs divins, je me dégageai vivement tout en lui assurant que le temps n'était pas encore venu pour lui, mais que le meilleur l'attendait. Mes lèvres et ma langue se mirent à l'œuvre, d'abord sur ses burnes qu'il avait rondes et bien tendues ; je pris ce paquet-cadeau dans ma bouche, m'amusant à les sucer une à la fois.

Je l'entendis gémir plus fort et lui demandai alors de se retourner sur le ventre. Je partis à la découverte de ces monticules séparés par une grotte mystérieuse, je mouillai mes doigts avec les eaux de mon sexe et entrouvris délicatement ce petit œil noir pour y faire pénétrer mon index. Les contorsions de mon amant des bois me confirmèrent les bienfaits dont le comblaient mes caresses.

Son plaisir étant contagieux, je mis mes fesses luisantes de mon fluide intérieur près de son visage et l'invitai à me faire une petite visite intime et non guidée. Il ne se fit pas prier et se présenta à l'entrée des artistes avec l'ardeur et l'impatience du jeune premier.

Sa fermeté sut sans difficulté se frayer un chemin vers cette zone encore inexplorée de mon corps. Je me sentis m'ouvrir pour l'accueillir et c'est là qu'un flux électrique se propagea dans ma chair à une vitesse folle. Je ne désirais qu'une chose : que ça dure et dure…

L'intensité de cet orgasme fut telle que je lui aurais baisé les pieds pour le remercier. Mais il semblait que mon amant avait d'autres plans à l'esprit, car il poursuivit ses allées et venues dans ma raie bien juteuse. Molle comme une poupée de chiffon, je devenais son esclave à mon tour.

Je le sentis monter vers la félicité et il jouit en serrant mes nichons dans ses mains pendant que son fluide vital irriguait mon intérieur.

Nous nous retrouvâmes étendus l'un près de l'autre, repus et comblés, nos yeux se disant que la nature et le hasard font bien les choses.

UNE VRAIE BÉNÉDICTION

Avant que mes yeux ne tombent sur lui, l'infidélité ne faisait pas partie de mes pensées. Je ne me croyais ni plus ni moins vertueuse que la moyenne des gens, mais je me considérais comme satisfaite de ma vie présente et comblée par mon époux toujours plein d'attention pour moi. Je n'étais donc pas loyale par choix mais plutôt par contentement et n'avais donc aucun mérite.

Il se trouva sur ma route un lundi matin assez maussade. Le côté sinistre de cette journée était d'autant plus flagrant que je revenais d'une fin de semaine idyllique passée dans le décor champêtre des Laurentides. La beauté des couleurs de l'automne, le bon vin bu au coin du feu, l'absence des bruits de la ville m'avaient permis de retrouver un état de calme inespéré. Alors, le béton et la circulation en ce début de semaine ne me disaient rien qui vaille et dissipaient, il va sans dire, mon état de sérénité.

J'arrivai à mon rendez-vous avec une trentaine de minutes de retard. Nous nous étions parlé au téléphone à quelques reprises sans que sa voix me touche particulièrement. Et pourtant dès que je me retrouvai face à lui, je me sentis faiblir. D'un coup direct au cœur il me possédait. Je venais d'être victime d'un coup de foudre, d'un coup de chaleur, et le rationnel n'y avait aucune place.

J'étais là, devant lui, essayant de conserver une certaine contenance. Pendant qu'il me débitait son discours de représentant, mon regard se promenait sur son visage et son corps, et je me délectais de son charme.

J'étais debout et lui bien assis dans son fauteuil roulant. J'aurais voulu m'asseoir pour être son égale et ne pas lui imposer ma normalité. Il semblait pourtant tout à fait à l'aise et maintenait ses yeux fixés sur moi. J'étais enveloppée par son magnétisme et faisais tout pour conserver cette bulle et éviter son éclatement.

Je n'ai absolument rien retenu de ce premier entretien, si ce n'est qu'il était bien trop technique. Non, mon corps et mon esprit étaient subjugués par la puissance de l'effet que cet homme avait sur moi.

Je ne connaissais pas grand-chose en matière de paralysie, mais n'avais pas de difficulté à constater que ses jambes n'avaient aucune mobilité. Par contre, ses mains et le haut de son corps apparaissaient tout à fait normaux. À quel niveau la dévastation s'était-elle arrêtée ?

Mon corps exigeait le sien et l'appelait désespérément. Je voulais le toucher, me coller à lui et souhaitais ardemment qu'il en fût de même pour lui. Son regard brillant, son sourire facile m'étaient-ils destinés personnellement ou faisaient-ils partie de son baratin habituel ? Le tumulte qui m'habitait m'empêchait certes de voir clair, mais me permettait aussi d'envisager le meilleur.

Quelque chose dans ses yeux rieurs laissait présager une réciprocité. Celle-ci me fut confirmée au moment où je le quittai. Nous nous serrâmes la main (geste suffisant pour que je sente mon entrejambe s'échauffer !) et il en profita pour déposer un petit bout de papier dans la mienne, ne retirant sa main qu'une fois bien certain que je l'accepterais.

Dans l'allégresse je quittai son bureau et pris quelques minutes dans ma voiture pour remettre mes sens en ordre. J'avais trente-cinq ans mais ce que je venais de vivre me ramenait dans un passé que je croyais terminé. La démesure de mon attirance pour cet homme, paralysé de surcroît, me rappelait la fougue de mon adolescence où, peu importe les obstacles rencontrés, je me lançais dans l'aventure à corps perdu.

La culpabilité ne traversa que légèrement mon esprit. Mes sentiments pour mon conjoint étaient indéniables, mais l'appel que je venais de recevoir était vital. Je me trouvais devant le maître de mes sens et ne pouvais que lui obéir.

N'arrivant pas à retrouver mon calme, je fermai les yeux et commençai à me toucher. En fait, c'étaient ses mains qui se promenaient sur moi, ses larges doigts envahissaient ma toison pubienne et pénétraient dans ma cavité brûlante. Mon plaisir montait sans faille et je jouis en l'espace de quelques minutes.

Lorsque j'ouvris les yeux, ce stationnement m'apparut bien laid en comparaison du moment sublime que je venais de vivre. N'ayant aucune envie de revenir à cette morne réalité, je pris mon cellulaire et avisai mon patron que je devais terminer plus tôt que prévu. De là, je me dirigeai vers la bibliothèque de l'Université de Montréal afin d'élargir mes connaissances sur la condition de l'homme convoité.

Ce que j'y appris me laissa pensive, aucune réponse claire ne m'était fournie, puisque tout dépendait du niveau de l'atteinte. Il ne me restait plus qu'une chose à faire : me lancer droit dans le réel, dans le vécu. De toute façon, je ne risquais pas d'être déçue car je savais que ses mains suffiraient à me combler de plaisir… et si j'obtenais un bonus, j'en remercierais Aphrodite et tous ses amis.

La fin de la journée approchait, je voulais lui laisser le temps de revenir chez lui avant de téléphoner, mais en même temps cela comportait le risque de ne pas le trouver. Je ne me sentais pas capable (et n'en avais surtout aucune envie !) de retarder notre union plus longtemps. Mon corps en fusion implorait sa présence et interdisait toute mesure. Je l'appelai à son travail et il m'invita chez lui.

Complètement fébrile, je devais trouver le moyen de tuer les quelques heures qui me séparaient de cette rencontre. Je décidai de retourner chez moi pour me rafraîchir et tenter de calmer mon état d'exaltation.

Surprise je fus par la présence à la maison de mon compagnon de vie qui, je crois, le fut tout autant que moi. Sentit-il la vie qui bouillonnait en moi ? Mon corps qui n'était plus que désir ? Toujours est-il que mon état l'émoustilla.

Sans réticence, je m'abandonnai à ses avances et nous fîmes l'amour dans le confort de notre salon. Mon corps en ébullition lui était reconnaissant de cette vidange partielle, mais mon esprit demeurait captif de la rencontre suprême à laquelle j'avais été conviée.

Je prétextais une sortie avec une amie pour quitter son enveloppe rassurante (ou culpabilisante) et me préparai soigneusement. J'étais transportée de savoir que bientôt j'aurais accès à un nouveau monde et j'espérais plaire à cet homme avec la même intensité qu'il me plaisait.

En arrivant à l'adresse indiquée, je vis qu'il habitait un immeuble adapté et je fus de nouveau assaillie par mes craintes. Quelle folie étais-je en train de commettre ? Ma raison perdit le combat qui se menait en moi. Envoûtée par lui, je devais répondre au sortilège reçu.

Je sus qu'il n'y avait pas d'erreur possible quand il m'ouvrit sa porte. Cet homme était un aimant, son attraction sur moi était viscérale. Je le suivis jusqu'au sofa, il s'y transféra et m'invita à le rejoindre.

Sa présence, si près de moi, me chavira, je désirais sa bouche sur la mienne, mon corps quémandait un assouvissement. Je pris l'initiative de l'embrasser et ce fut magistral. Un seul baiser et je me retrouvais imbibée de plaisir. Il promena délicatement ses mains sur mon dos puis les ramena sur mon ventre. Il prit ma taille entre ses mains et me fit asseoir sur lui. Je dévêtis le haut de mon corps pendant qu'il faisait de même et, là, il me pressa fermement contre lui.

Le contact de sa peau sur la mienne me fit perdre le peu de raison qu'il me restait. J'étais complètement enflammée et j'aspirais à entrer dans le vif du sujet. Je pris sa main et l'amenai à mon sexe tout en câlinant ses mamelons de ma langue (aucune perte de sensibilité à ce niveau !). Il se dit heureux de découvrir ma vulve inondée et je repris espoir sur sa virilité.

Je descendis du sofa et m'agenouillai entre ses jambes. J'entrepris de lui enlever son pantalon et il n'opposa aucune résistance. Apparemment mes inquiétudes étaient sans fondement. J'avais devant moi un sexe d'homme réagissant tout à fait normalement dans les circonstances.

Un soulagement profond traversa mon être et, sans hésiter, je me remis à califourchon sur lui. Il trouva mon passage et sans réserve s'y engagea. Son intrusion me ravissait, en symbiose avec lui, la lumière de la vie m'apparaissait. J'allai appuyer mes mains sur le mur derrière lui, lui présentant ainsi mes seins en offrande.

Cet appui me permit d'accentuer le rythme pendant qu'il se régalait de ma poitrine et que je profitais de ses bienfaits. L'intensité de ses soupirs augmentait toujours davantage et j'adorais l'entendre ainsi crier sa jouissance. En fait, tout en lui participait à mon extase : sa voix, son odeur, sa moiteur, sa respiration haletante. Tout ce qui venait de lui amplifiait mon obsession, mon besoin de le posséder et d'être possédée.

Il eut la déférence d'accorder l'attention voulue à mon petit bijou avant de laisser exploser ses roubignoles. Je l'enveloppai de mes bras et le remerciai de m'avoir si bien accueillie.

Nous avions à peine terminé que déjà je fantasmais sur la prochaine fois. Légèrement intimidée au départ par son handicap, j'ai appris que si sa passion de la vie l'avait mené là, à son fauteuil roulant (accident de moto), j'avais aujourd'hui le privilège de récolter les débordements de celle-ci et n'avais aucune intention de m'en plaindre.

La décision de poursuivre ma relation avec lui s'est

imposée d'elle-même ; sa virilité et sa sensualité me rappellent constamment auprès de lui. Ma chair réclame sa chair, il m'a intoxiquée et j'ai abdiqué.

J'aime ma double vie. J'aime ces deux hommes qui font partie de mon existence. L'un pour la solidité qu'il apporte à mon quotidien, l'autre pour le vertige qu'il me procure. Comment pourrais-je me passer de l'un ou de l'autre ? J'ai la chance de savourer le meilleur de la vie ; l'amour coule dans mes veines et la passion me fournit l'oxygène nécessaire à sa circulation. Bénis soient les hommes !

À LA VIE, À LA MORT

Jamais je n'avais pensé que la vie pouvait se retirer d'un corps de façon aussi insidieuse. Lorsque je songeais à la mort, je m'attendais à ce qu'elle survienne d'une manière brutale et rapide. C'était toujours ainsi que je l'avais envisagée, mais c'est vrai que je l'avais peu côtoyée.

À vingt-six ans, je ne la connaissais que par le biais des médias. Les images qu'on voyait à la télévision étaient violentes, sanglantes et surtout très lointaines. Lorsque Marc m'annonça qu'on lui avait diagnostiqué une leucémie, l'idée qu'il pouvait mourir ne me vint même pas à l'esprit. Je pensais traitement et guérison.

Marc avait à peine un an de plus que moi, nous étions tous les deux en pleine ascension et étions certains que l'éternité nous attendait. Nous nous disions tous les jours que nos efforts seraient récompensés par un avenir radieux et une longue vie.

Alors, l'annonce du diagnostic ne m'avait pas foudroyée ; il s'agissait d'une nouvelle épreuve comme l'avaient été les nuits blanches à étudier, les petits boulots minables, le combat mené contre ma famille pour qu'elle me laisse vivre avec mon grand amour à dix-sept ans. Déjà près d'une décennie ; époque lointaine où nous nous étions apprivoisés dans l'euphorie et la douleur (pas facile, la mise à nu devant l'autre !) et avions installé la base de notre complicité.

Nous étions tous les deux plutôt conventionnels dans nos valeurs ; la fidélité était capitale et l'amitié, fondamentale. J'avais réussi à dépasser le coup de foudre et appris à aimer profondément cet homme. Il était à la fois mon ami, mon conseiller et bien sûr mon amant. Et il lui restait bien des rôles à jouer. Je ne pouvais imaginer meilleure personne pour devenir le père de mes enfants et m'accompagner dans la vie.

Au début de la maladie, j'avais de l'énergie pour deux car j'étais certaine de toucher la victoire en bout de ligne. Je conservai cette force les six premiers mois, ensuite je voyais tout en noir mais réussissais à le camoufler à mon complice ; enfin, je le croyais. Ce fut ma détresse dans nos actes d'amour qui me dévoila ; en effet, ma passion était désespoir.

J'avais toujours eu un appétit sexuel plutôt débordant mais, depuis l'apparition de cette affreuse maladie, j'étais devenue carrément dépendante de nos ébats amoureux. Je luttais contre la mort avec la seule arme que j'avais : la vie. Faire fuir la mort en essayant de donner la vie n'était-il pas un simple réflexe de survie ? L'obsession qui s'était emparée de moi était-elle aussi normale ?

Depuis que Marc subissait ses traitements, il faiblissait chaque jour davantage et plus son manque de vigueur devenait flagrant, plus je cherchais à l'amener au septième ciel avec moi. J'avais de moins en moins de facilité à faire réagir son membre viril et c'est probablement ce qui me rendait plus lucide. Et si on ne passait pas à travers cette épreuve ? Et si c'était elle qui criait victoire ?

Ensemble nous ne parlions pas de cette possibilité mais, après avoir tout essayé pour avoir la joie de le sentir vivre en moi et n'avoir obtenu aucun succès, je doutais de plus en plus.

À l'époque où nous nous étions rencontrés, nous étions plutôt inexpérimentés dans le domaine. Sans expérience mais inlassables dans nos explorations et dans la découverte des nombreux plaisirs de la chair. Que de souvenirs de vie ! Comme cette fois où il avait posé ses lèvres sur ma vulve et m'avait léchée jusqu'à ce que les étoiles scintillent devant mes yeux ou cette autre fois où il m'avait convaincue de tenter l'effraction de mon minuscule orifice (cela s'était soldé par un long cri de douleur et le rejet complet de sa personne) ou encore cette recherche ardue de mon point G... Nous nous étions bien amusés avec ce « Grafenberg » !

Ensemble nous avions connu l'apothéose, la frustration (surtout, pour ma part, de le voir jouir plus vite que moi !) et aussi la gêne d'exprimer nos désirs, quelquefois nos fantasmes. Ma jalousie quand il m'avait demandé de lui faire un strip-tease après avoir regardé *Neuf semaines et demie*, comme si je craignais qu'il apprécie moins mon anatomie que celle de Kim Basinger, ou son inquiétude quand je lui avais avoué combien je trouvais excitante l'idée de faire l'amour dans un lieu public. À chaque sortie, il me regardait avec inquiétude, se demandant si c'était dans cet endroit qu'il allait devoir réaliser mon souhait. Finalement, notre première avait eu lieu dans un musée en plein après-midi. Refusant un coin à l'abri des regards dans une salle d'exposition, il avait insisté pour que cela se passe dans les toilettes des hommes, selon lui beaucoup moins fréquentées que celles des femmes, et rapidement avait conclu notre affaire, plus anxieux que bienheureux.

Pourtant, cela dut bien éveiller quelque chose en lui, car c'est de sa propre initiative que nous nous aimâmes au fond d'une salle de cinéma, puis sur le bord d'un sentier au cours d'une randonnée pédestre. Le risque que nous soyons surpris augmentant considérablement mon plaisir, c'est dans la joie que j'acquiesçais à ses demandes. Le souvenir de cet orgasme en pleine nature m'habitera toujours. Ce fut d'ailleurs une des rares fois où je jouis les yeux grands ouverts, consciente de la rugosité du rocher sur lequel j'étais assise et des rayons de soleil qui atteignaient mon visage à travers le feuillage rouge et jaune des arbres en ce début d'automne.

Tout ce que j'étais devenue était le résultat de notre évolution commune, la confiance qui existait entre nous éliminait les craintes individuelles et nous amenait à nous dépasser. Tout cela pouvait-il m'être enlevé ? Avec qui pourrais-je me livrer avec autant de liberté, avoir ces fous rires à n'en plus finir, délirer sur les changements à imposer à notre société, dormir avec un tel abandon, me réjouir des étapes franchies avec succès ?

La richesse qu'il apportait à mon existence était inestimable ; son départ ne pourrait qu'entraîner ma chute sauf si son remplaçant vivait en moi, si j'avais l'espoir de continuer à croire que je partagerais ma vie avec une partie de lui.

Je suis tout à fait du genre à croire qu'une personne nous est destinée, j'avais eu le privilège de le rencontrer très jeune et, maintenant, je savais que le risque qu'il me quitte de façon prématurée était réel. Je ne pouvais plus me laisser berner par la pensée magique, je devais agir et si mes sombres prédictions ne se réalisaient pas, ce serait dans un bonheur commun que nous accueillerions le fruit de notre union. Mon désespoir se transforma en espérance à cette idée.

Quelque temps plus tard, je dus accepter que l'état de mon bien-aimé se détériorait et suivre les conseils de son médecin : il fallait le faire hospitaliser. Je demeurais désormais près de lui à chaque heure du jour et de la nuit. Je refusai les idées noires et, étendue près de lui, la tête bien calée contre son épaule, je partageai mes souvenirs avec lui et lui exprimai tout le désir qu'il suscitait encore en moi.

Je lui dis que mon corps de femme le réclamait, en manque de sa virilité et de ses mains de magicien. Il me demanda de me caresser en m'imaginant qu'il s'agissait de ses doigts à lui. Je fis glisser ma main jusqu'à mon sexe pendant qu'il m'embrassait doucement dans le cou. Puis, d'une voix chaude, il se mit à me dicter comment me caresser.

Son petit jeu fonctionnait, je devenais de plus en plus moite et ouverte. Je commençai à le toucher et constatai un début de vigilance. La vie était là et m'appelait. Je descendis mon visage à la hauteur de son sexe et pris son pénis dans ma bouche. Je jubilais de ce retour à la normale, de ce retour à la vie.

Je l'amenai à un niveau de fermeté tout à fait acceptable et, cette fois sans préservatif, je m'installai sur lui et lui demandai de me laisser le conduire au paradis terrestre. C'était la première fois que nos sexes se touchaient directement, je ressentais un plaisir sans précédent. Sa chaleur incandescente irradiait tout mon intérieur. Nous n'étions plus dans un hôpital où la vie s'éteignait, nous étions dans un lieu où l'on célébrait la vie, où la vie était la plus forte.

Je savais par ses soupirs légers qu'il était là, complètement avec moi, et d'un dernier coup de bassin j'obtins ce que je désirais ardemment : sa semence. Je n'avais pas joui mais mon bonheur était bien au-delà du plaisir physique. Je m'étendis de nouveau près de mon amant et nous passâmes une nuit ressemblant à nos nuits d'antan.

Seule la douleur, au matin, vint nous sortir de notre rêve. J'allai avertir son infirmière et le calme revint aussitôt que l'injection commença à faire son effet. Je profitai du repos opiacé de mon homme pour rentrer à la maison me doucher et répondre aux appels inquiets de la famille et des amis. Trois heures plus tard, j'étais de retour auprès de lui.

Assise près de son lit, je le regardais dormir et ne pouvais admettre qu'un jour, peut-être, il ne serait plus là, que son regard ne s'arrêterait plus sur mon visage, sur mon corps, que sa bouche ne me ferait plus d'avances ni ne me tiendrait de propos salaces, que ses mains ne m'exprimeraient plus son amour, que son corps ne viendrait plus réchauffer et rassurer le mien. Non, tout ça ne pouvait être qu'un cauchemar.

Il choisit ce moment pour ouvrir les yeux, il me sourit et me dit que le souvenir de nos derniers ébats était encore en lui, que mon odeur était sur son corps. J'avais presque oublié qu'il avait déversé sa semence en moi et que déjà peut-être la vie montait et croissait dans mon utérus. Si la vie n'était pas en moi, la mort serait là pour nous deux.

Mes sombres pensées furent interrompues par la visite de ses parents ; j'étais jalouse de tous ces visiteurs qui me volaient tant de moments précieux. Cet homme était le mien et je devais me faire violence pour accepter de le partager. La conscience de la limite du temps était nouvelle pour moi et je devenais dangereusement possessive.

Bien sûr, je savais que la présence de ces personnes, qui lui étaient chères, était nécessaire. Aussi préférais-je sortir de la chambre pour ne pas risquer l'esclandre. Dans ces moments-là, je grillais une, deux cigarettes et la nicotine me calmait, me ramenait à de meilleures intentions. Je revenais alors vers lui en espérant que la visite soit terminée. Ce mécanisme de protection devint un automatisme pour moi, car son séjour à l'hôpital devait durer plus de trois mois.

Lorsqu'il reçut son congé, nous savions tous les deux que la fin était proche et c'est ensemble que nous prîmes la décision de revenir à la maison. On m'avait donné toutes les instructions nécessaires et personne d'autre que moi ne pouvait mieux l'accompagner. Ma vie avait commencé avec lui et il m'apparaissait tout à fait normal que la sienne se termine avec moi. Il m'avait vue naître, je le verrais mourir.

Je raconterais des histoires si je disais que cela a été facile. Par contre, je pris soin de lui comme j'espérais pouvoir prendre soin un jour de son prolongement. Jusque-là, mes ovaires refusaient toujours de collaborer, mais ce retour dans notre nid me donnait tous les espoirs. J'appris comment déterminer avec exactitude le moment de mon ovulation, celle-ci devait avoir lieu dans trois jours et d'ici là je laisserais mon compagnon se reposer suffisamment pour tenter de l'amener à m'offrir la dernière chose que j'attendais de lui : un petit bout de vie, une vie qui me permettrait de rester moi-même en vie.

Malheureusement, ses périodes de bien-être devenaient toujours plus courtes et nécessitaient toujours plus de drogue. Je persévérais malgré tout. L'homme que j'avais devant moi n'était plus celui que j'avais connu, seules son regard et sa voix me ramenaient celui que je chérissais.

Le jour J se présenta et mon amoureux était toujours là, il était même relativement en forme. Ce jour-là, je refusai tous les visiteurs se présentant à la porte. Pas question de perdre une seule seconde de cette énergie. Ma température, prise le matin, avait confirmé que c'était le moment parfait pour agir, restait à savoir si j'aurais l'effet désiré sur mon amant.

Je me mis nue et le rejoignis dans notre lit. Je me frottai doucement contre lui, il me fit un clin d'œil. Je lui dis que ma chatte ne cessait de le réclamer et il me sourit. Le tour était joué. Je commençai à le caresser et embrassai chaque parcelle de peau à ma portée. Je baladai mes seins sur lui et enserrai son pénis entre eux. Je fis de légers mouvements de va-et-vient et je le sentis grossir lentement. Un miracle se préparait et j'allais en bénéficier pour le reste de mes jours.

Je m'installai à califourchon sur lui, appuyai doucement mon sexe contre le sien et, satisfaite de sa quasi-fermeté, le fis entrer en moi. Puis je commençai à m'activer. Ma chaleur le réchaufferait. La réalité se dissipa et je repris contact avec ce pays des merveilles que je connaissais si bien. Sa douceur me chavirait l'intérieur, je bougeais sur lui tout en me caressant car je voulais jouir. Jouir afin que mes muscles vaginaux se contractent et facilitent la propulsion de sa semence dans mes entrailles.

Les yeux fermés, je sentis ses mains sur mes seins, je ne doutais plus de sa présence et me laissai aller à mon plaisir. Il jouit au fond de moi et je le gardai là pendant que mon bien-être continuait de monter. J'atteignis le paroxysme pendant qu'il chatouillait la pointe de mes seins. Un orgasme libérateur et profond.

Cela a été notre dernière rencontre intime. Et puis, le

trou noir. Il ne me reste qu'un goût amer et l'envie d'injurier tous ceux que je côtoie.

L'unique personne dont j'aurais besoin n'est plus là ; les autres m'importent peu. Qu'ai-je à faire de leurs souvenirs et de leurs propos se voulant réconfortants ? Je ne désire que la solitude pour me remplir du passé. Je me couche dans notre lit, prends un de ses vêtements dans mes bras et ai la sensation qu'il est là avec moi… C'est tout ce que je veux.

Je ne saurai pas avant une semaine s'il est demeuré en moi et c'est avec lui que je vivrai cette attente. Ensuite j'essaierai de réfléchir. Si son fœtus grossissait dans mon ventre, je serais comblée. Je ne peux pour le moment envisager un autre avenir…

DE LA DÉBUTANTE À L'INTERMÉDIAIRE

Luc était comme un membre de la famille. Depuis que j'étais toute petite, il était présent dans les événements importants comme dans les moments ordinaires du quotidien. Souvent, quand je rentrais de l'école secondaire puis du cégep et de l'université, il était là, au salon, prenant l'apéritif avec mon père. Il m'accueillait toujours avec le sourire et j'avais grand plaisir à le voir. De nature chaleureuse, il était vivement intéressé par mes activités et prenait le temps de discuter avec moi.

L'affection que j'avais pour lui n'avait fait que s'amplifier au cours des années et je constatai, un beau jour, qu'il était le seul homme à faire palpiter mon cœur (et je me censure !). Aux yeux de ma famille, j'étais sans aucun doute une fille bien élevée et tout le tralala. J'étudiais assidûment et, de nature solitaire, sortais peu. Travailleuse, persévérante et rêveuse, voilà probablement les qualificatifs qui me décrivaient le mieux.

Pour rêver, je rêvais de plus en plus... essentiellement à Luc. J'avais bien eu quelques petites aventures avec des garçons de mon âge, mais ces hommes en devenir n'avaient pas trouvé grâce à mes yeux, pas plus qu'ils n'avaient réussi à me faire connaître l'exultation. Jusque-là, seul Luc était le détenteur de cette satisfaction ; il nourrissait mon esprit et était l'élu de mes fantasmes.

Notre différence d'âge, loin d'être un obstacle, m'apparaissait favorable au développement de mon plein potentiel à tous les niveaux. Un homme mûr est, selon moi, une source de savoir à exploiter. Déjà, je savais qu'il s'intéressait aux autres, qu'il aimait parler, écouter et surtout toucher. Tant de fois ses larges mains sur mon bras, mon épaule ou autour de ma taille m'avaient obligée à m'isoler pour une séance de plaisir solitaire.

J'en avais assez d'être la fille bien élevée et toujours à sa place. Il était temps de m'éloigner de l'onirisme et de l'onanisme. Ce serait lui mon professeur, mon conseiller, mon maître. Il fallait maintenant créer l'occasion, puisqu'elle ne semblait pas vouloir se présenter. De toute façon, je n'avais aucune envie que la maison familiale devienne notre repaire.

Ah oui, vous ai-je dit qu'il était marié ? Cela ne simplifiait pas la tâche mais, en même temps, laissait présager son peu de résistance à mes avances. Comment croire que, après avoir fait l'amour pendant plus de vingt ans avec la même femme, il ne soit pas attiré par la nouveauté et la jeunesse ? De toute manière, il était fort possible que l'adultère fasse déjà partie de son mode de vie car, à voir sa mine épanouie, il eût été surprenant d'apprendre qu'il trouvait toujours son bonheur dans le lit conjugal.

Apprendre qu'il était fidèle m'aurait beaucoup déçue, puisque son expérience s'en serait trouvée amoindrie. C'était un amant qualifié et chevronné que je désirais. Le partage de son savoir était essentiel à mon éclosion. Quoi de plus banal qu'un homme constant.

J'envisageais plusieurs scénarios pour le rencontrer en privé et lui plaire, mais le plus susceptible de réussir m'apparaissait celui de l'approche directe. Les personnes timides et hésitantes ayant une nette tendance à l'irriter, pas question de jouer ce rôle. De plus, il connaissait la fille sûre d'elle-même et c'est ce que j'allais lui offrir ; peut-être même n'attendait-il que cela… Une fille peut toujours rêver !

Je voulais qu'il soit devant moi quand je lui parlerais, constater son trouble serait plus révélateur que bien d'autres choses. Je m'attendais à des phrases stéréotypées du genre « Tu as l'âge de ma fille », « Ton avenir est avec un homme de ton âge », « As-tu pensé à ton père ? ». Je ne pourrais l'empêcher de débiter de tels clichés, mais j'espérais que mon désir pour lui apparaisse si flagrant qu'il ne pourrait qu'y répondre. Si seulement nous pouvions éviter ce préambule insignifiant !

J'avais décidé de lui rendre visite, à son bureau, en fin de journée. Sans être fréquentes, mes visites étaient régulières, il ne pourrait donc pas se douter de ce qui l'attendait. La réaction de surprise est révélatrice et cet aspect de lui m'était inconnu. Je ne l'avais jamais pris en défaut et en toutes circonstances il conservait une attitude irréprochable. Que ce serait bon de le connaître dans l'abandon, la passion et le débordement ! À envisager le meilleur, il risque de se produire.

Mais bon, assez rêvassé, je passe à l'action. Je choisis de m'habiller simplement d'une jupe écossaise et d'un col roulé noir moulant. À mon âge pas besoin de me cacher sous des artifices. À vingt-deux ans, la nature ne m'avait pas trahie et était plus que jamais de mon côté.

Lorsque je me présentai à la réception, je sus d'instinct que ma vie ne serait plus jamais la même. L'action que j'allais commettre allait me transformer et orienter mon avenir. Je n'attendis que quelques secondes après l'annonce, par sa secrétaire, de ma visite. Il vint vers moi avec entrain, ses belles dents blanches bien en évidence. Et je me dis que si cet homme ne devenait pas mien, j'allais devenir folle.

Il m'entraîna vers son bureau, dans le silence. Mon cœur cognait, mes mains étaient moites et ma démarche, légèrement chancelante. Qu'avait donc cet homme pour me faire un tel effet ? Il me fit entrer dans son antre, mais n'en referma pas la porte. Je le laissai s'asseoir puis me retournai et fis ce qu'il fallait pour m'assurer de notre intimité.

Il ne parut aucunement surpris de cette initiative et je n'attendis pas davantage pour libérer mon esprit. Pas une fois il ne m'interrompit lorsque je lui révélai ma faim de lui, les fantasmes qu'il m'inspirait et mon espoir d'assouvir les demandes pressantes de mon corps. J'arrêtai mon discours tout aussi subitement que je l'avais commencé et j'attendis.

Il ne disait rien, pas même ces mots que j'avais tant redoutés. Dans ce silence qui me paraissait si lourd, il se leva, s'approcha de la porte... et la ferma à clé. Sûr de lui, il vint vers moi et me demanda de m'asseoir sur le bout de la table de conférence. Il m'enleva mes collants et mon col roulé, ne me laissant que ma jupe. Puis il me dit à l'oreille que j'aurais ce que je souhaitais pour autant que je réponde à ses attentes. Qu'il aimait l'enseignement mais seulement avec des jeunes filles sachant s'abandonner complètement à ses petits jeux pervers.

Mon assentiment était total, je serais sa plus fidèle élève et il me tardait qu'il commence à utiliser son nouveau jouet. Il s'agenouilla par terre et prit mon pied dans sa bouche, suçota un à un mes orteils et remonta le long de mes jambes. J'étais inondée de désir mais n'osais pas bouger, ma crainte de faire ce qu'il ne fallait pas était plus forte que mon impatience. Je le regardai baisser son pantalon et en sortir un membre honorable tant par sa longueur que par son diamètre.

Il était comme je les aimais: la tête bien lisse, sans prépuce, se tenant fièrement. Dire que je désirais sa présence en moi serait un euphémisme. Les mains agrippées au rebord de la table, je voulais qu'il me prenne avec violence, seule la puissance de ses coups de bassin arriverait à calmer ma folie. Car c'était bien de cela qu'il s'agissait. La raison n'avait aucune place dans ce que je vivais, mon délire entrait dans une autre sphère.

Je connus l'apaisement lorsque, son phallus entrant en moi, je sentis sa chaleur qui se propageait dans mon corps. Qu'il était bon, non, grandiose de le savoir planté profondément dans mes entrailles et de constater l'ascension de son plaisir. Je me souciais peu du mien, j'étais sienne et ses coups de rein me remplissaient d'extase. Je voulais qu'il se vide en moi, qu'il utilise mon corps.

Je ne souhaitais ni sa douceur ni sa tendresse, je n'aspirais qu'à sa démesure. Il caressait mes seins avec vigueur pendant qu'il me martelait de sa verge. Quelle grâce d'être sa victime ! Il jouit en mordillant mon mamelon droit sans aucun remord ni souci pour ma satisfaction. Testait-il son pouvoir sur moi ? Ma capacité d'abandon ?

Il faut croire que je réussis l'examen car il me donna rendez-vous à l'hôtel Quatre Saisons à dix-neuf heures, m'assurant que mon éducation devait être intensive pour être efficace. Je le quittai, plus désorientée au départ qu'à l'arrivée. Jamais je n'aurais pu espérer que ce serait si simple.

Je n'avais pas rêvé ce que j'avais vécu, mes songes étaient plus doux et pourtant je m'étais soumise avec une telle facilité... Je n'avais pas joui mais j'étais comblée de son emprise sur moi. Était-ce ma vraie nature ?

Je décidai de retourner à la maison afin de laisser mon esprit et mon corps se reposer. Je m'allongeai sur mon lit et tombai aussitôt endormie. Lorsque je me réveillai, il était dix-neuf heures quinze. Paniquée, je craignis qu'il ne m'ait pas attendue. Je quittai le domicile familial en taxi, l'esprit encore embrouillé par le sommeil, et pressai le chauffeur d'aller plus vite.

Arrivée sur les lieux, je me rendis directement à la chambre et frappai plusieurs coups avant qu'il ne vienne m'ouvrir. Son visage impassible ne me fournit aucun indice sur son état d'âme, si âme il avait. Mais comme il me laissait entrer, je me dis qu'il ne me tenait pas rigueur de mon retard. S'il était contrarié, il me le montra d'une bien drôle de manière.

Il me prit par les épaules et me tourna dos à lui. Puis il me mit un bandeau sur les yeux. Le fait de ne rien voir augmentait l'intensité de chaque frôlement sur mon corps pourtant bien protégé par mes vêtements. Il s'amusait à faire de menues pressions sur mon anatomie. Je ne soufflais mot et tentais de ralentir le rythme de ma respiration. Pourtant, j'appelais la domination qu'il semblait vouloir établir sur moi.

Il me jeta sur le lit, ouvrit mes jambes, descendit mes petites culottes et entrouvrit ma vulve avec ses doigts pour ensuite les enfoncer dans mon sexe. Mes fesses suivaient la cadence de ses infiltrations et réclamaient plus de vigueur. Je mouillais abondamment.

Il m'offrit le contraire de ce que je réclamais en déposant sa bouche sur mon clitoris. Il l'agaça de sa langue, puis le suça délicatement de ses lèvres. Quittant ce lieu embrasé, il vint lécher mon anus comme s'il s'agissait de la meilleure denrée de l'univers. Je me sentais détachée de mon corps et en même temps tout me ramenait vers lui, c'était l'illumination du plaisir des sens et j'éclatai sous quelques pressions de son index sur mon bourgeon.

Ne me laissant aucun répit, il me retourna sur le ventre, je sentis son sexe tentant l'effraction de ma rosette. Surprise par la douleur ressentie, j'essayai de résister mais, d'un ton brutal (était-ce bien l'homme que je connaissais ?), il m'ordonna de rester tranquille. J'obéis et sentis mes entrailles se déchirer sous l'effet de cette appropriation. La douleur fut intense et pourtant je demeurai là à me faire malmener sans tenter de me défendre. Mon conseiller devenait-il mon tyran ? M'avait-il bandé les yeux afin que je ne voie point la férocité qui se dégageait de lui ?

Il continuait ses allées et venues dans mon derrière, la souffrance diminuait mais le plaisir n'avait pas pris le dessus. Ses mains s'accrochèrent à mes épaules et je sentis son fluide me traverser. Il se retira et s'écroula à mes côtés, béatement satisfait. Je voulus retirer ce tissu noir de sur mes yeux, mais il m'en empêcha, me disant que, après ce sacrifice, j'avais bien mérité une gâterie.

Je l'entendis frapper contre le mur et une porte s'ouvrit. Mon esprit perturbé s'inquiéta d'abord, mais fut rassuré par le toucher délicat de ces mains légères. Un homme pouvait-il effleurer ainsi ? Mon corps exigeait cette tendresse et s'en goinfrait.

Tout son corps se promenait maintenant sur le mien. Ses seins dressés glissant sur mon visage puis sur mon ventre me confirmèrent que mon initiation se poursuivait. Cette suite me convenait parfaitement. Mon toucher et mon ouïe étant mes principaux guides, je tentai de situer cette maîtresse venue de je ne sais où et arrêtai rapidement de me poser des questions en sentant sa bouche se poser sur ma chatte.

Je me redressai. J'avais besoin de sentir le désir monter dans un autre corps et cela m'apparaissait comme une bien belle occasion de montrer à Luc mes qualités de novice. Ayant localisé son corps à tâtons, je me mis à califourchon sur la femme et commençai à caresser ses seins et son sexe de façon simultanée. Je la sentis se réchauffer au-dessous de moi pendant que des halètements bien masculins se rapprochaient de mon oreille.

J'étais excitée de savoir son regard posé sur nous, d'imaginer ses pensées. Il ne me toucha pas mais m'encouragea à continuer en me disant qu'il souhaitait qu'elle soit bien prête à le recevoir. Je ne tins pas compte de ses paroles car j'étais trop emportée par la sensualité de la scène à laquelle je participais. Je dus me rendre à l'évidence lorsque je me sentis soulevée puis déposée sur un fauteuil.

Je sentis le froid m'envahir. Mais retrouvant la vue, je fus réchauffée par le spectacle qui m'était offert. Devant moi, il y avait un lit immense sur lequel une belle femme noire était allongée et tendait les bras vers l'homme que je voulais mien. Je ne pouvais détacher mes yeux de ce tableau à la fois savoureux et destructeur. J'étais dans un autre monde et appréciais l'emprise de cette irréalité.

D'instinct, j'approchai ma main de mon entrejambe et posai ma cuisse sur le rebord du fauteuil. Je poursuivis mon incursion dans ce monde fantastique. Il la prenait par-derrière avec passion, ils étaient si beaux, si érotiques ! Il me regarda, vit que je me caressais et me fit un large sourire.

J'étais en plein délire, mon plaisir culminait et l'orgasme fit son entrée par la grande porte. Éblouie, je laissai ma tête retomber sur le dossier de mon siège, fermai les yeux pendant qu'ils continuaient leurs ébats. Je relevai la tête lorsque des lèvres se posèrent sur les miennes. Le silence était de retour et Luc était là, devant moi. Son baiser tendre me ramena à ma naïveté de rêveuse.

Pourtant celui qui se tenait devant moi était bien celui qui venait de se donner en spectacle et ne ressemblait en aucun cas au prince charmant. J'étais traversée de sentiments contradictoires. J'adorais l'homme que j'avais côtoyé toutes ces années. Sa solidité, son humanisme, son charme m'avaient amenée à lui et, en moins de vingt-quatre heures, j'avais découvert une tout autre personne, un visage si différent que je ne savais plus où j'en étais. Mon imaginaire romanesque était mis à rude épreuve par cette lubricité… qui pourtant m'attirait.

Le tiraillement de la vierge et de la putain ? Non, la dualité était beaucoup moins forte, mais arriverais-je à trouver ma place entre ces deux entités ? Je décidai de demeurer à l'hôtel. Luc devait aller rejoindre sa chère épouse, mais il me borda dans mon lit et me dit qu'il m'appellerait dès que possible. Je ne savais pas encore que la parole d'un homme marié vaut autant que celle d'un ivrogne.

Je m'endormis rapidement mais eus une nuit agitée. Les effluves des draps eurent sûrement une influence le contenu de mes rêves, car ils furent aussi excitants que la journée l'avait été. Cependant, je me réveillai fraîche et dispose. Je m'habillai et quittai l'hôtel pour revenir à mon domicile.

Je me sentais bien et avais sûrement l'allure d'une femme comblée. Je ne savais pas ce qui m'attendait, ni combien d'heures, de jours il s'écoulerait avant qu'il ne réapparaisse dans ma vie. Pourtant je n'étais pas inquiète, ni tourmentée. J'avais transgressé ma morale et mes rêves, je savais que la réalité était plus puissante que tous ces châteaux en Espagne construits dans mon isolement.

AMITIÉ PARTICULIÈRE

Nous étions dans un spa pour la fin de semaine, trois amies de longue date. Il y avait Suzanne (la beauté parfaite), Chantale (la femme équilibrée) et moi, Suzie (sans commentaire !). Nous nous connaissions depuis l'école primaire, avions partagé bien des événements importants, mais n'avions encore jamais osé nous aventurer sur le territoire intime de notre sexualité. Bien sûr, il nous arrivait de nous amuser de certaines anecdotes croustillantes entendues ici ou là, de rigoler en faisant des commentaires salés sur les attributs d'anciens amants, mais jamais nous n'étions allées plus loin.

Nous étions maintenant dans la trentaine, supposément à l'apogée de notre potentiel sexuel, et j'avais envie d'en savoir plus sur l'évolution et l'importance de la sexualité dans la vie de ces femmes. J'étais également curieuse de comparer mon exploration et mes apprentissages à ceux de mes amies, personnes significatives de mon existence.

De façon à favoriser la confidence, je profitai d'un moment de détente dans le sauna pour aborder le sujet. Présentant cela comme un besoin d'épanchement, je constatai par leur sourire engageant et la luminosité de leur regard que j'avais éveillé leur intérêt. Je racontai donc ma propre histoire en espérant avoir le plaisir d'entendre la leur.

J'avais quatre ou cinq ans quand je m'aperçus que certaines parties de mon corps réagissaient au toucher de façon différente et plaisante. D'emblée, je fus enthousiasmée par cette découverte. Je continuai mes explorations jusqu'à ce que ma mère s'aperçoive que j'avais un peu trop souvent les mains dans ma culotte et me rabroue vivement. Surprise par sa réaction, je poursuivis mon investigation dans le silence et la solitude. Cela devenait déjà mon plaisir secret. Je demeurerais encore plusieurs années (années plus ou moins actives) dans la clandestinité.

Ce fut mon frère qui leva le voile de mon isolement et qui devint mon mentor dans ce domaine. J'avais dix ans quand cela se produisit pour la première fois, je m'en souviens parce que c'était le lendemain de mon anniversaire, il en avait quatorze. Nos parents étaient sortis et nous étions seuls à la maison. Il m'avait invitée à monter dans sa chambre (invitation rare !).

Il m'encouragea à me déshabiller pendant qu'il faisait de même. Curiosité, culpabilité, crainte, tous ces sentiments étaient de la partie mais je ne pouvais résister à ses demandes. Il me fit étendre près de lui, mit sa main sur ma vulve et doucement se mit à me caresser. J'aimais ce qu'il me faisait mais tout devenait trouble dans mon esprit. Je lui demandai de cesser et de me montrer ce que lui faisait avec son corps. Il cracha alors dans sa main, en encercla son pénis et se mit à la bouger dans un mouvement de va-et-vient de plus en plus rapide. Un liquide blanchâtre vint conclure mon premier contact réel avec la jouissance sexuelle.

Ce fut pour moi un soulagement de constater que tous nous avions cette sensibilité particulière, mais un moment sombre quand mon frère me confirma que tout cela devait demeurer un secret. Que seuls les adultes avaient le privilège de bénéficier de ces bienfaits en toute impunité. Par contre, il m'offrait la chance de partager ces jeux avec lui, en toute confidentialité. Plusieurs occasions se présentèrent par la suite et jamais je n'hésitai à en profiter. Cela se poursuivit jusqu'à ce qu'il quitte la maison familiale pour étudier dans une ville voisine.

Après toutes ces années, je regarde ces souvenirs comme de simples préliminaires à mon éveil sensoriel: attouchements furtifs sur mes seins naissants, mouvements de ses doigts dans mon petit sexe rose, glissement de son pénis entre mes grandes lèvres... et surtout voyeurisme de ma part.

Encore plus que ses mains, j'adorais voir la montée de son plaisir, sentir la chaleur qu'il dégageait. J'enviais sa puissance et sa capacité de se détacher de la réalité. Inspirée par lui, ce fut après son départ que je connus la force de mes sens pour la première fois.

J'étais dans la baignoire et je pris la pomme de douche afin de l'approcher de ma fente, je dirigeai le jet vers cette zone de sensibilité extrême, pris un sein dans ma main et commençai à me ramollir dangereusement. Je sentais quelque chose monter en moi sans savoir ce qui m'attendait. J'étais excitée et avais la tête pleine d'idées salaces quand mon corps devint un véritable geyser explosant de plaisir. La salle de bain devenait un endroit paradisiaque, paradis où je retournerais religieusement chaque soir (ma mère était ravie de me voir si propre tout à coup!). Ce fut le départ réel de l'exploitation de mes trésors naturels.

À mon grand contentement, j'eus conscience que la chaleur du sauna n'était pas seule responsable de la rougeur et de la sudation de mes amies. Je me sentais moi-même languissante et c'est d'un commun accord que nous décidâmes de nous offrir un petit moment de repos avant de poursuivre ce partage.

Je montai à ma chambre, impatiente de refermer la porte derrière moi. Dans la perspective du plaisir à venir, je ne fus pas longue à dénicher mon vibromasseur au fond de ma valise et à m'installer confortablement sur mon lit. Mon appareil était doté d'un petit castor ayant la langue bien pendue et dont les vibrations variaient à ma guise.

Après avoir fait mon premier essai, je pensai que l'inventeur de cet instrument aurait dû recevoir le prix Nobel pour les nombreux bienfaits dont il avait comblé l'humanité. Avec lui j'avais la certitude d'atteindre un nombre record d'orgasmes. Cette fois-là, ce fut l'image de mes amies probablement en pleine action qui m'amena à une jouissance intense et profonde, image bien secondée par l'action de mon gentil castor bricoleur.

J'allai frapper à la porte de Suzanne. Elle m'accueillit le sourire aux lèvres et l'air dispos malgré le peu de temps dont elle avait disposé pour se reposer. En toute candeur, elle m'avoua que ma petite histoire l'avait ramenée aux belles envolées de sa jeunesse et lui avait redonné le goût de renouer avec le plaisir solitaire.

Elle me confia alors qu'elle avait utilisé le jet de la douche pour s'attaquer au fruit défendu et qu'elle avait osé crier sans aucune retenue dans l'allégresse du plaisir. Suzanne était pour moi l'incarnation de la beauté et de la féminité. Pendant qu'elle me parlait, j'entrevoyais les images de ce qu'elle me racontait et sentis l'excitation monter en moi.

Là, tout de suite, j'avais envie de l'allonger sur le lit où nous étions assises, de défaire la ceinture de son peignoir, d'ouvrir ses jambes et de plonger ma langue dans son sexe encore tout chaud afin de me délecter de ses charmes et de l'entendre gémir à n'en plus finir. Je réussis à me contenir en me disant que je devais en apprendre un peu plus sur elle dans ce domaine avant d'exprimer mon désir, disons-le, légèrement exacerbé.

La patience n'étant pas la plus grande de mes vertus, je me fis violence pour réfréner mon désir. Surtout lorsque le haut de son peignoir s'entrouvrit, me laissant voir la courbe de ses seins généreux.

D'elle-même, elle commença à me raconter que, tout comme cela avait été le cas pour moi, c'était un homme de la famille qui lui avait fait connaître les délices reliées à ses parties intimes. Un oncle célibataire s'amusait à la surprendre dans des endroits isolés (la cabane du jardin, la voiture, le sous-sol et même une fois le garde-manger) et la caressait sans jamais rien demander en retour.

Si d'un côté elle appréciait ces petites gâteries, de l'autre elle avait terriblement peur d'être surprise et d'être jugée comme étant une mauvaise fille. Un jour, elle se décida à tout avouer à ses parents et, on s'en doute, cela fit un scandale dans la famille, excluant définitivement l'oncle de sa vie. À partir de ce jour-là, elle réussit difficilement à avoir du plaisir avec un homme, associant toujours ces relations à sa trahison et aux conséquences que cela avait eues. Enfin, c'est ainsi qu'elle justifia son attirance pour le sexe féminin et cela me convenait parfaitement.

Elle avait donc retrouvé le contentement physique avec une femme et ensuite avec bien d'autres. Elle ne nous en avait jamais parlé, craignant de se buter à notre incompréhension et de voir s'installer une distance entre nous. Mon ouverture l'avait encouragée à se dévoiler.

Voyant ainsi la porte grande ouverte et ne pouvant me contenir davantage, j'osai m'approcher d'elle et lui murmurai à l'oreille le scénario qu'elle m'avait inspiré quelques instants plus tôt. Accédant doucement à sa peau, la caressant légèrement, je sentis qu'elle acceptait de me confier son corps. Son peignoir entrebâillé me permettait de prospecter à volonté sa peau et c'est dans la volupté que j'en découvris les reliefs.

Je sentais les frissons qui la parcouraient à mon contact, elle n'était plus dans l'attente du plaisir, elle le vivait. Je me sentais honorée de la toucher, j'avais envie de déployer des trésors de finesse et de raffinement pour l'amener au paroxysme. Je ne voulais pas me laisser entraîner par mon ardeur.

Chose promise, chose due. J'écartai ses jambes et utilisai ma bouche pour m'amuser avec sa chatière. Ma langue la goûta et l'aima. Elle frémissait sous mes lèvres pendant que ma langue pénétrait son orifice. Ma fougue était communicative et c'est d'un long cri que je l'entendis jouir. Je remontai vers elle et elle me reçut avec reconnaissance.

Elle savourait son feu d'artifice en me lançant un long regard prometteur. Puis elle se mit à califourchon sur moi, caressa avidement mes seins et glissa ses doigts dans mon sexe. Elle situa mon clitoris, mit la pression parfaite sur le frein de celui-ci et fit de courts mouvements de va-et-vient. Je jouis autant par la vision qu'elle m'offrait que par le bonheur que ses doigts me donnaient.

Elle s'écrasa sur moi, m'embrassa tendrement et laissa échapper un long soupir significatif. Silencieuses nous étions, heureuses de découvrir que notre amitié n'avait plus de limites. Notre épanchement nous avait menées à l'épanouissement.

Nous nous levâmes car nous savions que notre camarade devait faire partie du partage, nous savions aussi que les confidences à venir ne concerneraient que le passé, car ce que nous venions de vivre n'appartenait qu'à nous.

L'AMI DE MON AMI

Pierre était le meilleur ami de mon chum et, par le fait même, m'était inaccessible. L'opiniâtreté avec laquelle je luttais contre l'attirance que j'éprouvais pour lui me permettrait-elle de demeurer respectable ou y perdrais-je mon âme ?

J'avais connu Pierre en même temps que Jean, qui était devenu mon compagnon de vie. Jean avait jeté son dévolu sur moi et ses tactiques de séduction n'avaient trouvé aucune résistance. Je sortais à peine de l'adolescence, avais envie d'être amoureuse et d'entrer en communion avec le mâle. Je l'avais accueilli à bras ouverts. Pierre, à cette époque, était trop réservé pour assouvir mon besoin de passion et de grandiose.

Par contre, j'avais beaucoup de plaisir à le côtoyer et sa présence ajoutait toujours un petit quelque chose à nos activités. Je l'avais vu se transformer au cours des années, m'étais amusée de ses nombreuses conquêtes qui ne duraient jamais, mais n'avais pas pris conscience de son ascendant sur moi.

En effet, je ne m'étais jamais demandé pourquoi j'étais plus heureuse lorsqu'il était là et un peu déçue lorsqu'il était absent. Mes yeux s'ouvrirent au cours d'un souper que nous avions organisé pour l'anniversaire de Jean. Il y vint accompagné d'une nouvelle proie, une femme assez jolie et plutôt intéressante.

Et vlan, en le voyant près d'elle, je ressentis comme une piqûre au cœur, la jalousie faisait son œuvre. C'est moi qui voulais être près de lui, c'est vers moi que je désirais qu'il se tourne pour me chuchoter des mots doux à l'oreille, c'est sur mon bras que sa main devait se poser.

Mes défenses avaient cédé et j'étais envahie par tous mes sentiments refoulés. J'admirais sa force et son insouciance, son humour et sa vivacité, sa générosité et… l'attention qu'il savait accorder à sa compagne. Non mais, j'étais en pleine fabulation ! Comment pouvais-je imaginer un rapprochement avec cet homme ? Il faut dire que mon histoire avec Jean se détériorait de jour en jour, qu'elle était même devenue carrément boiteuse, mais cela ne pouvait justifier une telle trahison. Et puis, rien ne me laissait croire que l'intérêt de Pierre pour moi dépassait les limites de l'amitié.

Avant de faire quoi que ce soit, une démarche capitale s'imposait : quitter Jean. Ensuite, je verrais s'il est vrai que la chance sourit aux audacieux. En attendant, je devais contrôler mes émotions, puisque, une semaine plus tard, nous avions notre fameux party d'huîtres. Je m'y préparai avec soin en me disant qu'il s'agissait d'une belle occasion pour vérifier ma capacité de séduction et rechercher les traces de son intérêt à mon égard.

Je choisis une courte robe rouge qui mettait bien en valeur mes longues jambes et dont le décolleté cachait peu de chose. Même mon chum que je n'allumais guère depuis quelque temps m'exprima son admiration. Si je ne l'attirais pas dans ma toile ce soir, aussi bien me résigner au célibat pour le reste de mes jours. Une vérification s'imposait et c'était ce soir-là que le test ultime aurait lieu. N'empêche que je me sentais nerveuse comme une collégienne à son bal de finissants.

J'avais prévu de rompre avec Jean le lendemain. Je ne craignais pas cette étape ; je croyais même que cela serait un soulagement pour lui, sa passivité (que je lui avais tant reprochée !) l'empêchait simplement de bouger. Je ne souhaitais pas le voir malheureux mais, de toute façon, mes sentiments pour lui s'étaient tellement éteints qu'il souffrirait sûrement davantage de mon indifférence au quotidien. Surtout maintenant que mon esprit se trouvait occupé par un autre homme. Et puis, j'étais bien trop jeune pour être enterrée vivante !

Je me présentai donc à notre soirée « mollusques » fébrile mais bien vivante. J'eus l'agréable surprise d'être accueillie par nul autre que l'objet de mon obsession. Hospitalier, il me fit la bise habituelle, sans plus. Bien trop bouillante pour me laisser refroidir pour si peu, je lui laissai mon manteau et rejoignis un groupe d'amis où je fus vite informée que la dernière copine de Pierre avait disparu du décor ! Pouf ! Déjà volatilisée !

Ma grandeur d'âme m'amena naturellement à aller consoler mon bel ami qui, on s'en doute, n'en avait guère besoin. Par contre, il engagea la conversation avec chaleur et se mit à me questionner sur l'éloignement qu'il lui semblait avoir constaté entre moi et Jean. Je me croyais en plein théâtre d'été.

J'avais envie de tout lui balancer. Que j'allais quitter son ami et qu'ensuite je n'aspirais qu'à une chose : m'envoyer en l'air avec lui chaque jour que j'aurais la joie de vivre. Mais tout ça aurait été bien trop direct et je ne voulais certainement pas le voir s'étouffer avec ses huîtres, qu'il avalait les unes après les autres.

Non, je voulais user de délicatesse et c'est ce que je tentai de faire. Je changeai de sujet de conversation en lui demandant s'il connaissait les vertus aphrodisiaques des huîtres. Et me mis à lui décrire les effets qu'un tel repas avait sur moi (j'inventai un peu, mais bon !) : je devenais totalement impudique, mon imagination se faisait vive et lubrique, j'étais littéralement insatiable, puisque je savais que les huîtres favorisaient la sécrétion de testostérone. Il écoutait attentivement et j'éclatai de rire. Son intérêt était éveillé mais je ne devais pas aller trop loin.

Je repris mon sérieux et lui dis que, mes relations sexuelles avec Jean étant de plus espacées, je craignais d'avoir de la difficulté à me contenir toute la soirée. À ma grande surprise, il me répondit en souriant: « Tu sais, à mes yeux, tu es une digne représentante de ton sexe et tu as tout ce qu'il faut pour le plaisir, sauf… ta liberté. » Il me fit un clin d'œil et me quitta sur ces paroles. Était-il sérieux ? Ou était-ce l'œuvre de son sens de l'humour si particulier ?

Jusqu'à maintenant le match était nul mais je remarquais qu'il me lançait des œillades plus souvent qu'à l'ordinaire. Était-ce prometteur ?

La soirée avançait et, l'alcool faisant son effet, était de plus en plus joyeuse. Je ne voyais guère mon amant légal, mais cru qu'il était de retour à mes côtés lorsque je sentis un bras enserrer ma taille. Je me retournai et eus la joie de me retrouver face à Pierre. Il me sourit et m'invita à danser. Pourrais-je tenir cinq minutes dans ses bras sans succomber et dire des paroles regrettables ? N'en avais-je pas déjà trop dit ?

Il prit ma main et m'entraîna un peu à l'écart de la piste de danse. Une musique langoureuse d'Elton John jouait. Faisait-il exprès ? Sa main sur le haut de mes hanches se faisait pressante, mon bassin vint se coller au sien et ce que j'y sentis fit mon bonheur. Ce soir, il craquait pour moi.

J'aurais voulu l'embrasser à perdre haleine, m'imprégner de sa chaleur et laisser s'envoler le tourbillon de mes sens. J'avais perdu toute notion du temps et quand je m'aperçus que la chanson était terminée et que nous étions toujours serrés l'un contre l'autre, je me raidis, m'éloignai après lui avoir chuchoté à l'oreille combien j'avais apprécié cette danse.

Le péché d'adultère, je ne voulais point commettre. Le péché de chair, je voulais bien accepter, mais dans quelques jours seulement. Je voulais jouir par cet homme mais je ne voulais aucune entrave. J'attendrais.

Pour ce soir, j'avais obtenu plus que ce à quoi je m'étais attendue. Je savais qu'à partir de maintenant il ne penserait plus à moi comme à la blonde de son ami. Sa perception n'était plus la même et, une fois ce pas franchi, on ne revient plus en arrière. Son esprit ne trouverait l'apaisement qu'auprès de mon corps.

À la fin de la soirée, je repartis avec Jean après avoir échangé les bises traditionnelles avec ceux qui étaient encore présents. Pierre s'était éclipsé, mais je ne doutais pas qu'il resurgirait dans ma vie, et je ne lui donnais que quelques jours pour le faire. Un homme allumé ne s'éteint que bien arrosé par sa maîtresse.

La nuit fut courte et la journée pluvieuse du lendemain, parfaite pour une rupture. Cela se passa exactement comme je l'avais prévu. Bien sûr, notre discussion dura plusieurs heures, mais je n'eus aucun mal à convaincre Jean de la nécessité de suivre chacun notre chemin. La tristesse était présente mais je portais en moi un grand réconfort, car je savais que quelque chose de meilleur m'attendait.

J'avais décidé de laisser passer la semaine avant d'agir (cinq jours de deuil, cela me paraît suffisant!). Et le vendredi, je deviendrais une veuve joyeuse et irais le relancer à son bar habituel. Vendredi jour de Vénus, jour de l'amour. Moment idéal pour traiter des affaires de cœur et de sexe. Notre union serait à la hauteur des divinités romaines. De cela, je n'en doutais pas.

La semaine s'écoula comme dans un rêve, l'attente était douce. Je me rappelais son bassin contre le mien, la rigidité de son sexe à travers nos vêtements et j'imaginais le meilleur. Je réussis à passer ces journées sans plaisir charnel. C'est avec lui que je voulais exploser et connaître l'acmé.

Le vendredi matin, je me réveillai aux aurores, surexcitée par les promesses que contenait cette journée. Je terminai plus tôt que prévu à mon travail, me rafraîchis et m'habillai exactement comme la dernière fois que nous nous étions vus. Ce serait mon message. Et il le comprendrait.

Je me rendis seule à L'Île noire, son refuge de toujours, et je le vis dès que j'entrai. Il était accoudé au bar et semblait discuter avec la serveuse, mais était définitivement seul. Le courant passait car il se retourna alors que je m'avançais vers lui. Il me vit, comprit et me sourit.

Il m'embrassa à la commissure des lèvres et, me prenant par la taille, réduisit l'espace qui nous séparait au minimum. Il approcha alors sa bouche de mon oreille et me susurra qu'il était heureux de me savoir libre, puis il appuya ses douces lèvres sur mon cou et reprit sa position initiale.

Il m'offrit un verre que je refusai. C'est de lui dont j'étais assoiffée. Je m'étais promenée dans un désert toute la semaine et j'avais devant moi une source fraîche et abondante. Prendre un verre ne ferait que retarder l'instant tant attendu.

Je lui pris la main et l'amenai dehors. Il y avait entre nous une charge érotique palpable, ma respiration était saccadée et la sienne, bien trop rapide pour un homme au repos. Son appartement était tout près et je pris conscience que nos pas se faisaient de plus en plus pressés. Tout délai, si court fût-il, était de trop. Les endorphines affluaient à mon cerveau et je n'aspirais qu'à la fusion de nos corps.

Pendant qu'il cherchait sa clé pour ouvrir sa porte, je sortis sa chemise de son pantalon et promenai mes mains sur son torse, appréciant la chaleur qui se dégageait de lui. Aussitôt que nous fûmes entrés, il me souleva dans ses bras et mon sexe mouillé de bonheur vint s'appuyer sur son ventre. Je penchai ma tête vers lui et, nos lèvres réunies, je dégustai sa langue qui se baladait avidement dans ma bouche. Des frissons parcouraient mon corps qui se réjouissait de ce prélude prometteur. Je le laissai me dévorer de baisers et partis à la recherche de son instrument de plaisir, que je trouvai à un stade de contraction maximale.

Je languissais d'être nue et de le voir nu, je le voulais contre ma peau, désirais connaître le sillon de ses fesses, la fermeté de ses cuisses, la douceur de son ventre, la force de ses bras et avoir l'honneur d'être présentée à sa majesté! Je m'arrachai à ses lèvres et lui demandai de se déshabiller pendant que j'en faisais autant. Je le vis alors dans toute sa splendeur, ce qui me convainquit que l'attente avait valu la peine. Je lui ouvris grands les bras et il me rejoignit.

Nous nous retrouvâmes sur le sofa, lui la tête entre mes cuisses et moi m'affolant en sentant sa langue pénétrer mon sexe et ses lèvres aspirer mon clitoris. La grâce divine était dans cette pièce!

Je bouillonnais sous sa bouche, mon plaisir s'amplifiait à grande vitesse et mon corps fut traversé par un véritable séisme. Un partenaire aussi prodigue était plus précieux que tout l'or du monde. Il remonta vers moi en couvrant tout mon corps de ses baisers. En transe, je recevais des dizaines de chocs électriques. S'il était aussi habile de son phallus que de sa bouche, le royaume des cieux m'attendait.

Je lui demandai de s'étendre près de moi et je commençai mon exploration. En fait, j'avais un but précis et je n'eus aucune difficulté à trouver ce que je cherchais. Je fus heureuse de constater que son gland était gonflé et empourpré à souhait. Je le pris dans ma main et le léchai doucement avant de l'engloutir dans ma cavité... buccale. Ma langue l'aspirait et augmentait sa congestion jusqu'à ce que je sente les gouttes de désir abonder.

Je cessai cette activité, m'allongeai sur lui et, d'une main assurée, dirigeai son sexe à l'intérieur du mien. Mon plaisir devint de plus en plus dense à chaque mouvement que nous faisions en chœur. Ma vulve était saturée de son organe. Je m'assis sur lui et à peine quelques caresses de mes doigts sur mon bouton suffirent à mon bonheur ultime. Je jouis en regardant son visage se contracter sous l'effet du plaisir.

L'imminence de l'orgasme illuminait mon partenaire, il me regarda, prit mes seins dans ses mains et s'abandonna à la quintessence. Je restai sur lui, appuyai ma poitrine contre la sienne et j'attendis que le calme prenne le relais.

Mes attentes étaient comblées et j'espérais avoir la chance de répéter l'expérience. Je savais que Pierre n'était pas fait pour les relations de longue durée, mais pour le moment je n'aspirais qu'à profiter de ce qui m'était offert, le temps que cela durerait. Je soulevai mon bassin, entendis son petit cri d'agonie pendant que je me dégageais et lui souris. Je voyais bien des plaisirs à l'horizon…

LE COUPLE REVU ET CORRIGÉ

J'avais partagé cinq années de ma vie avec lui, des années de passion symbiotique puis de confort agréable et rassurant. Je croyais l'aimer toujours autant mais il est vrai qu'il n'était plus le centre de mes préoccupations depuis bien des mois. Je l'avais surpris dans notre lit avec une amie commune. Histoire banale et ordinaire à raconter. À vivre, c'est une tout autre affaire. Ma vie avait basculé comme sous l'effet d'un coup qu'on ne voit pas venir. Il m'avait demandé pardon, j'avais essayé sans succès d'oublier et m'étais finalement décidée à le quitter.

Nous en étions maintenant à la séparation des biens. Il m'avait laissée seule dans l'appartement et je tentais de faire le tri. S'il n'y avait eu que des objets, cela aurait été facile. La difficulté se situait au niveau de toutes ces choses qui se rattachaient aux expériences vécues, aux souvenirs intimes. Tiens, par exemple, cette série de photos polaroïd très explicites que nous avions prises au cours d'une soirée mémorable, devrais-je lui remettre les siennes et garder les miennes ? Ou l'inverse ?

C'est d'ailleurs ce soir-là qu'il avait eu l'idée de baptiser chaque pièce de notre nouveau domicile par une partie de jambes en l'air. Complètement éreintés, nous avions dormi plus de douze heures le lendemain, récompense bien méritée après le succès de notre entreprise.

Par la suite, c'était devenu un code. On se retrouvait dans la pièce du missionnaire (une femme a bien droit au repos !), dans celle du lotus (le goût de l'exotisme !) ou ma préférée, celle du barbu. C'est là que, m'ayant bien adossée au mur, il s'était agenouillé face à ma toison pubienne pour ensuite y engloutir son visage et parcourir mon sexe de sa langue. Il y buvait mes liqueurs vaginales et s'en délectait. Ma poitrine se soulevait sous ses caresses appuyées et il ne s'était arrêté qu'au moment où je m'étais effondrée au sol en lui disant que j'avais touché le firmament. Cette pièce demeurait imprégnée de ce moment magique et c'était toujours avec joie que je m'y retrouvais.

Je n'arrivais pas à comprendre que nous ayons pu tant nous éloigner de ce bonheur si vivant. Je connaissais pourtant sa passion pour la femme, son appétit pour l'érotisme et la gourmandise de sa divine queue. J'avais été bien idiote de croire que nos copulations du samedi soir lui suffiraient.

Notre havre de passion s'était transformé en un port de routine, port où les tempêtes déchaînées ne se levaient plus qu'exceptionnellement. Je dois bien avouer que j'avais laissé mon boulot et mon désir de dépassement prendre la place de notre océan de volupté. Et maintenant, je me retrouvais à marée basse, réalisant à la vue de ces simples photos que mon appétit de lui était revenu en force.

Notre collection privée d'images scabreuses devait être poursuivie et enrichie plutôt que divisée. Je devais tenter encore une fois de revenir vers lui, de nous réunir. En pleine matinée, il était sûrement au bureau. Et si je tentais de lui téléphoner pour l'amener, par mes propos salaces, à un nouveau prélude à notre union ?

Ma rancune et mon abattement disparus comme par enchantement, c'est pleine d'audace que je pris le combiné du téléphone et composai son numéro. À la deuxième sonnerie, j'entendis sa voix sérieuse.

— Bonjour, Pierre. Je peux te parler quelques minutes ?

— Hum, oui, bien sûr.

— Tu sais, je suis dans la pièce du lotus et j'ai besoin

de ta participation pour m'aider à savourer pleinement ma solitude.

— …

— Je suis assise par terre, les jambes écartées et je glisse doucement mes doigts dans ma culotte. Je pense à ton sexe en érection, au gonflement de tes bourses, et je deviens de plus en plus excitée. Tu te souviens comme ma moiteur te chavirait ?

— Hum, fit-il d'une voix légèrement enrouée.

— Je promène ma main sur mes seins et pince légèrement mes mamelons. Le vide au fond de mes reins devient insupportable. Ton membre coquin me manque affreusement, lui seul me comblait de façon si absolue…

— Je peux venir ?

— Attends, parle-moi comme si tu étais là, amène-moi au comble de l'excitation, dis-moi ce que tu me ferais…

— Je t'écoute et mon érection me brûle, mon sexe se consume sous mon pantalon. Je me frotterais sur toi, m'enduirais de ta moiteur et mes mains baladeuses empoigneraient ta croupe pour que je puisse m'y enliser. Et là, dans la clarté, je verrais ton visage s'éclairer car à l'urgence de ton désir j'aurais répondu.

— Continue, tes paroles m'emballent, je veux jouir au son de ta voix…

— Attends-moi, c'est dans ton oreille que je poursuivrais mon petit discours libertin…

Je demeurai là où j'étais mais ne cessais pas mon activité pour autant. Le feu était allumé et, dans l'attente de son arrivée et peut-être de nos retrouvailles, je pressai mes doigts sur mon clitoris, le fis saillir et de quelques caresses fis jaillir l'étincelle dont j'avais un besoin pressant.

Il fit son entrée quelques instants plus tard. Son visage trahissait ses aspirations, et sa maladresse à se dévêtir, son impatience. Je le regardais, nu, et le trouvais beau. Mon inclination pour lui était totale, mon corps le réclamait, l'exigeait.

Son sexe, dans toute sa splendeur, vint se presser contre mon ventre. Alanguie de ma satisfaction récente, je laissai mes mains flâner sur chaque centimètre carré de son corps et insistai davantage sur la partie intérieure de ses cuisses (qu'il avait sensible), autour de ses aréoles (qu'il avait très sensibles) et de ses parties nobles (qu'il avait fièrement dressées). Son corps bouillonnait sous mes mains et j'aimais dangereusement cette emprise.

Malheureusement (ou heureusement !), elle fut de courte durée. Il me souleva dans ses bras, mes jambes vinrent se resserrer autour de sa taille et il s'empara de mon aumônière. Le vide ressenti un moment auparavant se fit plénitude et je laissai monter le feu en moi. Nos corps mouillés glissaient l'un sur l'autre, nos chuchotements accompagnaient notre plaisir et il jouit bien au fond de moi, d'un coup brutal.

Nous demeurâmes enlacés un long moment, savourant à la fois ce bien-être et notre passion retrouvée. Puis il prit ma figure entre ses mains et il me dit combien il était heureux du retour tant attendu de sa maîtresse d'antan. Il posa un baiser bien chaste sur mon front et me quitta en me demandant de ne pas trop m'éloigner du téléphone.

Pendant son absence, je me replongeai dans la lecture de *La Femme de papier*, histoire de conserver l'inspiration et de ne pas me laisser rattraper par le rationnel du quotidien.

La pénombre était déjà là lorsque le téléphone sonna. Mon homme ne prononça qu'une seule phrase : « Prépare-toi, je viens t'enlever dans quelques instants. » Ces communications téléphoniques me plaisaient de plus en plus et, en repensant à ce dernier échange, je me dis que bienheureux sont les ignorants car ils ne savent ce qui les attend. Oh oui, bienheureuse j'étais de savoir que mon amant me planifiait une nouvelle mise en scène mystérieuse.

Enchantée, je m'habillai légèrement. La soirée était belle, le ciel, parsemé d'étoiles et la chaleur, bien installée. J'entendis le klaxon de la voiture et descendis rapidement l'escalier. Empressé, il ouvrit ma portière et s'assura de mon confort avant de s'asseoir côté conducteur. Il me lança un regard ravi et, évidemment, refusa de me préciser notre destination.

Nous étions là, ensemble, dans une bulle de contentement. J'étais heureuse de ce revirement et emballée par notre nouveau départ. Nous nous arrêtâmes devant un immeuble bien ordinaire de trois étages. La modestie des lieux n'affecta en rien mon bien-être et je le suivis bien volontairement à l'intérieur de l'édifice. Nous prîmes la porte menant aux escaliers et montâmes… jusqu'au toit.

Devant moi, sur le carrelage près de la piscine, un drap de velours rouge était étendu. Des coussins disposés autour ainsi que du vin sur une table basse nous attendaient. De façon très spontanée, je lui sautai au cou pour lui montrer à quel point j'étais contente d'être là, avec lui. Il me retint et m'embrassa en caressant doucement le galbe de mes seins. Puis il m'invita à prendre place sur « le tapis rouge » et m'offrit à boire tout en me parlant de l'effet que j'avais sur lui.

J'appréciais son beau discours mais la période d'abstinence que je venais de vivre avait laissé un vide qu'il me tardait de combler à nouveau. Je fis glisser mon pied nu sur l'intérieur de sa jambe, ne cachant nullement mon désir et mon appétit de lui. Je le voulais en moi, j'avais faim de cet homme, de mon homme.

Il prit mon pied dans ses mains, le massa et remonta sensuellement jusqu'à mon sexe déjà inondé. Il écarta ma culotte et appliqua la paume de sa main sur mon duvet, les doigts en direction de ma rose des vents. J'étais là, jambes écartées devant lui, audacieuse et avide de ses faveurs. Je ne souhaitais qu'une chose: que cela se poursuive jusqu'à la fin des temps ou du moins jusqu'à la fin de la nuit. Les étoiles étaient au-dessus de nous et l'infini était à ma portée.

Il fit pénétrer ses doigts en moi et, satisfait du résultat de son exploration, les retira. Je compris que Monsieur avait décidé de me faire subir le supplice de l'attente. Pourquoi pas ? Faisons durer le plaisir. Je me défis de mes habits, gardant ses yeux captifs sur mes formes épanouies. Je me retrouvai bien vite en tenue d'Ève et… plongeai la tête la première dans la piscine.

J'avais bien besoin de me rafraîchir, mais l'eau sur ma peau n'atténua en rien mon désir. Nageant sur le dos, les seins pointant vers le ciel, je souhaitais désespérément qu'il vienne près de moi quand enfin je sentis une agitation dans l'eau. Je m'approchai du bord de la piscine et il me rejoignit. Avide, je m'emparai de ses lèvres et de sa langue et l'embrassai longuement. Mon corps irradiait sous ses mains puissantes et mes sens exaltés par cet environnement féerique cherchaient satisfaction. Après m'être assurée qu'il était toujours en état de m'en imposer, je le pris par la main et nous sortîmes de l'eau enlacés et ayant sûrement une pensée commune.

Voyant les gouttes d'eau déposées sur sa peau, je commençai à lécher chaque repli seulement pour le voir se tortiller sous ma bouche et apprécier la douce et belle musique de ses gémissements. Son solo ne fut que de courte durée. Il me prit par les épaules et m'étendit sur notre belle couche. Il s'appropria mes seins, les mit dans sa bouche et un à un les fit s'ériger jusqu'à ce que j'en ressente presque de la douleur (la distinction entre la souffrance et le plaisir apparaît, dans ces circonstances, bien mince !) puis engagea ses doigts dans mon sexe ouvert.

Il me caressa et échauffa mon bourgeon jusqu'à ce qu'il s'exhibe sans gêne. Il y posa alors ses lèvres bien chaudes et de sa langue m'amena à jouir sans retenue. Mon corps sous tension se relaxait enfin dans la béatitude.

Il me demanda alors de me retourner et de lui offrir mon postérieur, ce que je fis sans hésitation. Cette position me permettait de sentir ses couilles battre contre mes fesses et j'adorais cette sensation. J'acceptais mon côté bestial et tous les plaisirs qui y étaient associés. Je lui laissai le contrôle de la situation et savourai de chaque nouvelle entrée dans mon intimité.

Je n'étais que sensations et le crescendo continuait de s'amplifier. Il se déchaînait et je voulais cette démesure. Sa frénésie m'enchantait et faisait disparaître les rancunes du passé. Il s'écroula sur mon dos dans un soupir interminable (n'a-t-on pas déjà dit que l'homme qui soupire a tout ce qu'il désire ?). Je restai là sans bouger, appréciant son corps qui recouvrait le mien et me disant que, dorénavant, je demeurerais à l'affût des plaisirs de la vie et qu'aucune autre femme ne saurait me détrôner dans l'âme et le corps de cet homme.

LE FACTEUR SONNE

Je suis une ménagère, une épouse, une mère et n'occupe aucun emploi rémunéré. La perception que l'on a de moi va du désintéressement le plus complet à l'admiration béate de ma capacité de sacrifice. Je dois dire, pour être franche, que mon choix ne tient ni de la vocation ni de la paresse, mais de la simple logique. Au moment où j'ai pris cette décision, je ne savais pas encore que cela me permettrait de m'émanciper et d'avoir tout le temps nécessaire pour m'amuser aux jeux de l'amour.

J'avais une vie sexuelle active mais peu fantaisiste. Mon ennui et mon besoin de fuir l'abrutissement de la routine quotidienne ont favorisé l'éclosion de ce qui couvait depuis longtemps dans mon imaginaire : mes fantasmes. Je commençai par me procurer un vibrateur. Je partis magasiner, avec mon petit dernier dans sa poussette, et constatai que les entrées de sex-shops n'étaient guère conçues pour les mères de famille. Mais plutôt que de me décourager, je demandai de l'aide. J'étais bien résolue à repartir à la maison avec mon nouveau joujou et c'est ce que je fis.

On m'avait recommandé un produit « *made in India* », alléguant que ce peuple possédait une compétence incomparable dans ce domaine. On a qu'à songer au Kâma sûtra... Je repartis donc avec cent dollars en moins, mais l'esprit réjoui.

J'en fis l'essai dès mon retour à la maison (pendant la sieste du bébé) et découvris les orgasmes dévastateurs, à répétition. Je sortis de cette première séance ébranlée et n'attendant que le prochain instant de liberté qui me serait offert. J'avoue que, les premières semaines, je ne pensais qu'à ça, le temps me manquait et je fis même garder le plus jeune de mes enfants quelques après-midi. Ce fut d'ailleurs au cours d'un de ces moments de solitude que je fis plus ample connaissance avec Mathieu.

J'étais étendue sur mon lit, la porte de la chambre ouverte et la lumière allumée (cette exhibition m'excitait !), et avais commencé à accumuler les orgasmes lorsqu'on sonna à la porte. J'entendis la sonnerie mais, bien trop emportée par mes sensations pour aller répondre, je ne bougeai pas. Dans ma hâte de retrouver mon nouveau jouet, je n'avais pas fermé la porte à clé. Je le savais mais espérais que mon visiteur serait suffisamment poli pour ne pas insister. Je ne pouvais pas savoir que l'homme le plus audacieux qu'il m'ait été donné de connaître se trouvait sur mon perron. C'est donc avec surprise que je vis apparaître devant moi le facteur de mon quartier…

Bien des fois il avait été présent dans mes séances de masturbation et je le considérai donc comme un visiteur agréable. Il ne manifesta aucun désarroi ou malaise et me demanda de poursuivre mon activité. Il est si rare qu'un fantasme nous soit offert sur un plateau d'argent que je décidai de saisir l'occasion.

Après ce court moment d'hésitation, je repris mes caresses et le vis s'approcher, défaire la boucle de sa ceinture et laisser tomber son pantalon. Le voir si excité par ma personne augmenta d'autant plus mon effervescence. Cette fois, je gardai les yeux ouverts et actionnai le mécanisme du vibrateur.

Il était assis près de moi et tenait son sexe dans sa main. Il était bien beau, mon porteur de courrier. Cette scène inhabituelle m'excita plus que tout ce que j'avais pu imaginer, son désir m'illuminait, je me sentais toute-puissante et la force de ma jouissance fut incomparable. Je me sentis transportée, mon corps tremblant sous l'intensité de cette satisfaction. Je tournai mon regard vers lui et vis qu'il n'était pas encore libéré de sa semence.

Je voulais partager mon bien-être avec lui et je le conviai à mettre son bel objet entre mes seins. Ma poitrine généreuse enserra son pénis et il commença son escalade. Cette plénitude transcendait tous les interdits. Ce sexe inconnu entre mes seins, ce visage inhabituel dans mon environnement, son emballement, tout tenait du délire et pourtant aucune autre place ne m'aurait mieux convenu. J'étais là où je devais être, à faire ce dont j'avais rêvé si souvent.

Je regardais ce bellâtre s'agiter sur moi et j'étais heureuse de lui offrir ce plaisir, cette pause dans sa tournée routinière. Il jouit en peu de temps, ce qui, selon ses propres aveux, était exceptionnel. Il ne repartit pas tout de suite, nous parlâmes de longues minutes, moi de mon besoin de renouvellement, lui de sa faible résistance face au genre féminin. Il refusa de me quitter avant d'être sûr que j'accepterais de le revoir. Je lui donnai mon numéro de téléphone en exigeant qu'il ne m'appelle jamais après dix-huit heures. J'étais prête à prendre des risques mais non à tout remettre en question. Je voulais conserver les privilèges que m'offrait ma situation, surtout maintenant que je commençais à les découvrir.

Je n'eus pas de nouvelles de lui de la semaine, puis un bel après-midi il fut là, à l'autre bout du fil, m'invitant à le rejoindre dans un parc du quartier voisin. La journée était splendide, parfaite pour une petite escapade, et je lui donnai rendez-vous deux heures plus tard. Je pris les dispositions nécessaires, préparai le souper de mon mari (une femme exemplaire !) et pris ma soirée « off », invoquant un besoin d'aération.

Je courus jusqu'au parc où je retrouvai Mathieu, le cœur battant la chamade. Dire que cette nouvelle fougue dans ma vie ne m'excitait pas autant que mon amant serait un mensonge. J'étais tout aussi emballée par les tabous que je dépassais que par les bontés dont je ne tarderais pas à profiter.

Discret, Mathieu n'eut aucun geste déplacé. Il me dit simplement qu'il souhaitait partager quelque chose d'original avec moi. Nous marchâmes et il s'arrêta devant l'entrée d'un cimetière. Il dut tirer sur mon bras pour que je le suive. De lourds nuages avaient commencé à s'accumuler au-dessus de nos têtes et ce lieu m'inspirait le contraire de ce que j'avais envie de célébrer.

La mort m'apparaissait si présente que j'en frissonnais, il me dit que c'était justement ce qui l'excitait. Défier la mort par toute cette vie qu'il y avait en nous. C'est le moment que choisit l'orage pour éclater, de grosses gouttes se mirent à tomber, imbibant rapidement ma robe d'été. Un bel orage de chaleur !

C'était l'illumination qui me manquait, je courus au fond du cimetière et m'adossai à un mausolée. Le ciel continuait de déverser sa colère pendant que le tumulte ne cessait de croître en moi. Mes vêtements collés à mon corps, le décor mortuaire, l'excitation qui se lisait sur le visage de mon bel ami rendaient ce moment irréel et majestueux. La vie palpitait à tout rompre en moi et autour de nous. Cette vie à la fois forte et fragile dont il fallait se gaver avant qu'il ne soit trop tard. Cette folie que je commettais avec celui qui se tenait devant moi était un pied de nez à l'anéantissement.

Il me souleva dans ses bras et m'embrassa avec frénésie, parcourant ma bouche de sa langue et caressant mes seins en érection. La chaleur de sa main sur ma poitrine s'opposait à la froideur de la pierre et eut un effet direct sur ma vulve qui s'échauffa délicieusement.

L'interdiction appelle la transgression et je me sentais prête à tout. Je voulais sa belle et grosse queue en moi, le sentir s'enfoncer, gagner du terrain et éclater en moi. Je me sentais survoltée et avais besoin d'apaisement. Mon corps quémandait la vie qui palpitait en lui ; je m'arrachai à son étreinte, me laissai tomber dans l'herbe mouillée et l'entraînai avec moi. Je nous désirais complètement nus, voulais que nos corps glissent l'un sur l'autre avant de trouver leur point d'ancrage.

Je me dénudai en le regardant faire de même. Ce corps robuste était pour moi et j'entendais bien m'en délecter. Je commençai à lécher ses pectoraux bien rebondis, mais ne m'attardai pas dans cette région. Ma gourmandise n'avait d'égale que la profanation que nous commettions. J'enveloppai son membre viril de mes lèvres et lui fis une pipe diabolique. Je me gorgeais et raffolais de son excitation. Il me repoussa en me disant qu'il ne pourrait plus se retenir très longtemps, qu'il perdait tout contrôle avec moi. Je me redressai et offris ma toison à sa bouche, il s'appropria mon sexe et lui donna tous les câlins que je pouvais espérer et il me fit jouir en tenant mon clitoris bien serré entre ses lèvres. J'étais en pleine extase et remerciai le ciel d'avoir rencontré cet homme si énergique.

J'étais extasiée mais non assouvie, n'ayant toujours pas obtenu ce à quoi j'aspirais. La profondeur du vide au fond de moi devenait vertigineuse et mon besoin de saturation se faisait criant. J'attirai donc l'objet de ma convoitise sur moi. Il accepta bien volontiers et pénétra mon embrasement. Enfin, le meilleur des mondes m'était offert.

La puissance du coït a trop été dévalorisée, pour moi il n'y a rien de meilleur. Ce corps étranger qui me possède me détache du mien. Je ne suis plus qu'un sexe avide qui réclame satisfaction. L'enfoncement de ses hanches dans les miennes illustre bien la force de cet acte.

Il était là, au-dessus de moi, mon ange si vivant, et je jouissais du frottement de son organe dans le mien. J'eus un second orgasme lorsqu'il s'arrêta bien au fond de moi, craignant d'arriver plus vite que moi au but poursuivi. Quelle bonté d'âme!

Cet homme était mon sauveur; grâce à lui je reprenais vie. Je remarquai que la nuit était tombée et que les nuages avaient été remplacés par les étoiles. La voûte céleste me souriait pendant qu'il éjaculait en moi. Je restai dans ses bras un moment et l'assurai que pour lui ma porte serait toujours déverrouillée…

J'étais peut-être en pleine décadence, peut-être en plein épanouissement. Je ne savais pas mais j'étais certaine qu'un changement s'imposait. Mathieu était vivant et c'est ce que j'appréciais en lui. Je ne voulais plus être statique mais désirais sentir le mouvement entrer dans mon existence. J'ouvrais la porte au tourbillon… avec les risques que cela comportait.

LES JOIES DE L'INITIATION

La virginité (et l'innocence que l'on a tendance à y associer) est aujourd'hui davantage un embarras qu'un joyau. Surtout pour les hommes qui ne peuvent véritablement afficher leur identité masculine et leur virilité toute-puissante qu'après avoir consommé l'acte sexuel. Je suis tout à fait favorable à cette cause, puisque j'ai une attirance viscérale pour les jeunes hommes depuis une dizaine d'années. Oui, j'aime ces petits mâles qui voient la femme comme un être contenant les plus beaux secrets et qui la traitent avec attention et précaution.

C'est à chaque fois un hommage auquel je ne peux me soustraire. D'ailleurs, je n'ai aucune raison de m'y dérober, bien au contraire. Et puis, je demeure toujours dans la légalité. Jamais ils ne sont âgés de moins de dix-huit ans, mais ils ont toujours moins de vingt-cinq ans. Après cet âge, l'accumulation de frustrations enlève toute joie à leurs découvertes.

La première fois que j'ai ressenti cet appel, j'avais trente-sept ans, plus très jeune mais pas encore vieille. Il y avait ce garçon dans mon cours de calcul différentiel (j'enseigne au niveau collégial, avouez que c'était ma destinée !), Philippe était son prénom. Timide, réservé, intelligent et des yeux qui me déshabillaient dès mon entrée dans la salle de cours.

J'étais à cette époque en instance de divorce et étais plus que sensible aux marques d'intérêt (une femme trompée a bien besoin de rehausser son estime d'elle-même !). Philippe ne m'a jamais fait d'avances explicites ; ce sont ses yeux qui se fixaient sur moi, ses demandes d'explication à chaque fin de cours (alors qu'il était l'un des plus forts) et finalement ses visites à mon bureau qui m'obligèrent à constater qu'il était accroché.

Et ça s'était passé par une belle matinée de novembre. J'étais assise à mon bureau, la porte fermée, et pleurais toutes les larmes de mon corps en regardant les papiers officiels de ma séparation avec l'homme que j'avais cru mien et qui s'était envolé avec une petite nymphette. Il avait sûrement frappé mais, dans mon désarroi, je n'avais rien entendu. C'est en relevant la tête que je le vis devant moi. Moins décontenancé que je pouvais l'être, il se retourna, verrouilla la porte et vint me prendre dans ses bras.

Ce geste d'affection fut suffisant pour faire repartir la fontaine et je restai là, dans ses bras, les épaules tressautant pendant qu'il me caressait les cheveux. Cela faisait près d'un an que je n'avais eu aucun contact physique avec un homme et cette tendresse gratuite me chavirait l'intérieur. Pendant que je déversais toute ma peine retenue, je l'entendais me dire combien il me trouvait belle et attirante, comme il était bon de me tenir dans ses bras. Ces paroles étaient, à ce moment-là, la meilleure consolation que je puisse recevoir.

Il releva mon visage et se mit à embrasser ma figure. Mes larmes se figèrent. Ces baisers étaient si doux et me procuraient un tel bien-être que je n'y opposai aucune résistance. Au contraire, j'y répondis avec autant d'intensité que, juste un instant auparavant, j'avais pleuré.

Sur le coup, je ne réalisai pas que j'étais dans les bras d'un étudiant. Je m'appropriai son offre d'amour comme si ma vie en dépendait. Nous nous embrassâmes longuement avant qu'il ne m'avoue connaître peu de chose sur le sexe. Loin de me repousser, cet aveu ne le rendit que plus désirable. Il m'offrait le plaisir de lui retransmettre un peu du bien-être qu'il m'avait donné.

Je lui dis simplement que je saurais le guider et descendis ma main sur le devant de son pantalon. Mes doigts se butèrent rapidement contre une excroissance majestueuse. Je défis le bouton, ouvris la fermeture éclair et pris ce joyau dans ma main. J'eus à peine le temps de lui faire quelques caresses qu'il se déversait dans la paume de ma main. Je n'avais plus l'habitude de ces éjaculations précoces, mais je réussis à lui cacher mon étonnement pendant qu'il se confondait en excuses.

Loin de lui en vouloir pour cet hommage qu'il venait d'offrir à ma personne, je l'invitai à me rejoindre à la maison au début de la soirée. Cette simple phrase fit de lui l'homme le plus heureux de la terre et ma confiance ne s'en trouva que rehaussée. Je voyais enfin les rayons du soleil revenir dans ma vie.

Il vint à mon rendez-vous un peu à l'avance et me parut bien maladroit dans ses efforts d'élégance vestimentaire, mais comme tout cela me plut ! Je lui servis un verre afin de tenter de calmer la tension qui semblait l'habiter et le rassurai en lui disant que les heures qui venaient nous étaient consacrées.

Et là, sur le sofa, il commença à m'embrasser. Dans ce domaine il ne manquait sûrement pas d'expérience, car il embrassait doucement, langoureusement et de plus en plus fiévreusement. Ces longs baisers embrasaient mon corps et faisaient disparaître en moi toute trace de moralité. Nous demeurâmes de longues minutes sur le sofa avant que je ne l'entraîne dans la chambre conjugale. Les souvenirs de cette pièce avaient bien besoin d'être renouvelés !

Je lui dis de s'étendre sur le lit et de demeurer habillé. Puis je me mis complètement nue et vint le rejoindre. Le voir là, vêtu des pieds à la tête, tentant de contenir son désir face à mon corps dénudé, m'excita plus que bien des attouchements. Je lui demandai de demeurer tout près de moi et de prêter attention aux caresses que j'allais me faire et au plaisir que je me donnerais.

Difficile de trouver élève plus consciencieux… La bouche légèrement entrouverte, pas une fois il ne quitta des yeux mes mains et mon visage. Je commençai à me caresser doucement la vulve, j'ouvris mes pétales et l'invitai à se rapprocher. Je lui dis combien j'aimais sentir mes doigts forcer ce passage secret, comme il était important de ne pas négliger cette petite bosse qui gonflait sous mes doigts, puis je cessai mon discours d'enseignante et montai les échelons de la félicité. Je jouis puissamment lorsque je sentis sa main caresser mon sein. N'ayant aucune envie de lui reprocher cette initiative, je me retournai vers lui et l'embrassai longuement pour le remercier.

Je lui dis alors que maintenant c'était à son tour de jouer. Je modérai mes stimulations, espérant qu'ainsi je lui offrirais le bonheur ultime de faire connaissance avec la moiteur et la chaleur de mon sexe. Je tentai de le déshabiller lentement mais sa participation active augmenta considérablement le rythme. Et ce fringant jeune homme se retrouva sur moi à la vitesse de l'éclair. Comment ralentir un tel étalon ? Je lui dis de penser à ses exercices de mathématiques mais il éclata de rire. C'est vrai que cela paraissait bien saugrenu ! Je lui laissai donc prendre la situation en main en m'attendant à peu.

Mais ce que je reçus habite encore ma mémoire comme un cadeau exceptionnel. Une fois bien installé au-dessus de moi, il trouva mon passage sans difficulté et s'y engouffra. Il eut à peine le temps de se mettre en mouvement qu'il éjacula en lançant un long cri de joie. Qu'il était beau, mon nouveau poulain ! Ce désir que je lui inspirais était décidément le meilleur remède à mon malheur. Et l'émerveillement qui rayonnait sur son visage n'était pas négligeable. Il me redonnait vie par sa vigueur et son impatience.

À peine dix minutes s'étaient écoulées qu'il était de nouveau au garde-à-vous (cela faisait belle lurette que je n'avais pas connu ça !). Cette fois, je lui demandai d'essayer de se concentrer sur mon plaisir, de prêter attention à mes points sensibles et, pour lui faciliter la tâche, je me mis à cheval sur lui. Je fis pénétrer son sexe dans le mien mais ne fis aucun mouvement du bassin. Sa sensibilité exacerbée demandait certaines précautions quand même...

Je l'invitai à caresser mes seins, ce qu'il fit avec un peu trop de vigueur. Je lui expliquai alors comment j'aimais être touchée et l'importance de toucher les pointes seulement après avoir bien enrobé le sein. Vif, il mit si bien en pratique mon conseil que ma vulve, en lien direct avec le haut de mon corps, se mit en action quasiment contre mon gré. Cette fois, je réussis à exécuter deux longs mouvements avant de le sentir gicler au fond de moi.

Ma patience de pédagogue commençant à être éprouvée, je décidai de l'initier au plaisir oral. Je n'aurais pu avoir meilleure idée puisque, ça, il connaissait et même très bien. Il plongea sa langue dans mon huître et habilement fit durcir mon bouton d'or, qu'il ne lâcha plus. Il le suçota, le tira avec ses lèvres pendant que ses mains prenaient possession de mes seins. Ce garçon était une réelle bénédiction. Je ne me gênai pas pour exprimer mon désir et il comprit très bien le sens des sons qui sortaient de ma gorge. Il mit l'énergie de sa jeunesse dans cet acte de dévotion et me fit jouir, me réconciliant définitivement avec les hommes. Les jeunes du moins.

La libération apportée par cet orgasme me remettait au monde. Et j'avais devant moi un jeune homme faisant acte de foi devant une des splendeurs de la vie. Il serait mon premier et meilleur souvenir de cette nouvelle vie que j'amorçais à peine.

Notre relation se poursuivit quelque temps... jusqu'au jour où il tomba amoureux d'une fille de son âge. Je ne fus pas blessée par cette rupture. Mon nouveau choix de partenaire impliquait cette absence d'engagement. Je ne crois plus qu'une personne puisse me combler pour le reste de mes jours.

La jeunesse est synonyme de liberté et de passion. Et c'est ce que je veux conserver sur ma feuille de route. Je n'ai peur ni de la vieillesse ni du jugement de la société. Je suis en quête de la fougue, de l'impatience et de l'impétuosité de mes semblables. Comme cette force de vivre n'existe que dans une certaine catégorie d'âge, je continuerai à la chercher là où je peux la trouver.

PACTE AMICAL

J'avais été très explicite avec mes amis. J'avais trente ans, réussissais très bien dans ma vie professionnelle, avais des relations amicales satisfaisantes et plus de passe-temps que de disponibilité pour les pratiquer. Par contre, j'étais aussi une femme constituée normalement et avais bien besoin de m'éclater à l'occasion. J'entends ici par éclatement l'oubli complet de la raison et la prise de possession par les sens.

Rencontrer un mâle épanoui, intéressant et comprenant mon désir de non-engagement n'était pas aussi facile qu'on peut l'imaginer. J'avais donc lancé cet appel à mes proches: je les autorisais à donner mon numéro de téléphone aux hommes leur semblant répondre à mes critères. Cela faisait bien dix jours que j'avais pris cette initiative quand je reçus l'appel d'un certain Vincent. Il était près de vingt heures et je me préparais pour une soirée très relax du genre pyjama, repas congelé et télévision.

Dès qu'il me fit part de son intention de me rencontrer à l'extérieur, je lui répondis que mes plans pour la soirée étaient tout autres, puis je me ravisai et lui offris de venir chez moi, mais à la condition suivante: lorsque je lui ouvrirais la porte, si l'attirance était mutuelle, nous nous embrasserions sans dire un mot, sinon je refermerais ma porte ou il tournerait les talons et quitterait mon immeuble.

Après un court moment de silence, il accepta et je lui donnai mon adresse.

J'allai me changer de vêtements (un pyjama de flanelle n'est quand même pas la meilleure arme de séduction !) et réfléchis à ce que je venais de faire. Il est vrai que j'avais plutôt confiance en moi, mon apparence physique plaisait généralement, mais étais-je prête à le voir me tourner le dos ? À accepter un tel rejet ? Je laissai tomber les questions sans réponses et décidai d'assumer ma témérité jusqu'au bout.

Heureusement, la sonnette ne fut pas longue à retentir. Je me dirigeai vers l'entrée en sentant mon pouls s'accélérer (ça faisait tout de même plus de deux semaines qu'aucune créature masculine ne m'avait accordé ses faveurs) et ma température corporelle augmenter. Je résistai à l'envie de regarder dans le judas et ouvris toute grande ma porte.

J'avais devant moi un homme de taille moyenne, cheveux bruns légèrement bouclés et tombant sur les épaules, corps mince et solide, visage au menton carré, yeux verts vifs et intelligents. Pour moi aucun doute possible. Je voulais m'accrocher aux lèvres de cet homme.

J'eus amplement le temps de me demander ce que son esprit pouvait bien lui raconter à mon sujet. La période d'observation semblait vouloir s'éterniser. En fait s'était-il écoulé plus d'une minute ? Le temps pour moi s'était arrêté et ne reprendrait que bien des heures plus tard.

Il fit un pas dans ma direction et sa bouche se nourrit de la mienne, ses lèvres me confirmèrent clairement son accord. Nous nous plûmes au-delà de mes espérances et jamais la parole ne prit si peu de place dans une relation.

Après notre premier baiser concluant, je refermai la porte derrière lui. Il s'appuya contre le mur et là j'enlevai son chandail et continuai mon incursion orale en promenant mes lèvres sur son torse et ses timides mamelons. Excitée, j'avais envie de lui, là, tout de suite. Je voulais me goinfrer de sa chair et je voulais qu'il se régale de la mienne. Je n'attendis pas et exposai ma nudité sans aucune décence.

Impatients, nous nous laissâmes tomber sur le tapis. J'étais là, couchée sur le dos, et il me caressait avec l'élan d'un explorateur découvrant un fabuleux trésor. Ses mains sur moi étaient un pur bonheur. Je fus rapidement prête à le recevoir, j'appelais son sexe dur en moi. Ma volonté d'être possédée était la plus forte et il y répondit sans se faire prier.

Les puissants mouvements de son bassin contre le mien me chavirèrent, je l'encourageai à ne pas s'arrêter pendant que j'empoignais à pleines mains ses fesses bien humidifiées par l'ardeur de son travail. Je délirais et savourais cet étranger en moi.

Mon délire se transforma en extase quand il s'interrompit, bien ancré dans mes profondeurs, et qu'il commença à caresser mon clitoris. Dans ma tête s'allumèrent mille et une étincelles et je jouis en plantant mes ongles dans sa peau.

Je n'eus pas le temps de m'alanguir très longtemps, car il repartit à l'attaque sans plus attendre. Lorsqu'il jouit à son tour, je sentis son souffle chaud dans ma nuque. Ensuite, il releva la tête et me sourit pour la première fois.

J'étais aux anges d'être aux côtés de cet homme qui savait si bien célébrer les prodiges de la nature. Je compris pourquoi il était si passionné lorsqu'il me raconta qu'il était journaliste et qu'il venait tout juste de faire un reportage sur la guerre en Serbie. Sa rencontre avec moi, selon ses dires, le remettait enfin en contact avec la beauté de la vie. Le malheur et la misère humaine lui avaient sans aucun doute donné une force de vivre qui se reflétait dans sa façon de faire les choses, de me faire du bien.

Affamés et assoiffés, nous prîmes le temps de nous restaurer avant que je ne l'invite à se doucher avec moi. Je me fis langoureuse et savonnai chaque partie de son corps avec douceur et précision. Son membre principal me fit rapidement connaître son opinion par une attitude ferme et résolue. Il me retourna dos à lui, ma tête venant s'appuyer sur son épaule pendant qu'il caressait mes seins et éveillait à nouveau mon goût de lui.

Son sexe entre mes fesses glissait de bas en haut tandis que sa main se faufilait jusqu'à ma vulve. Il l'ouvrit délicatement, en caressa tous les recoins d'une main tantôt ferme, tantôt furtive. Je le sentis vider ses bourses dans mon dos sans qu'il cesse ses caresses sur mon sexe inassouvissable. Enfin, je sentis le feu se propager, m'accrochai au pommeau de la douche et laissai l'orgasme déferler en moi.

Jamais encore je n'avais connu un bonheur physique aussi intense avec un nouvel amant. Il me touchait comme s'il décodait instantanément mes désirs. Mouillés de partout, nous sortîmes de la douche et nous séchâmes. L'expression de nos yeux n'était que plénitude et béatitude. Je souhaitais qu'il reste là, avec moi, que notre partage se poursuive.

Nous nous jetâmes dans mon lit et, bien emmitouflée sous les couvertures, je m'endormis dans ses bras au petit matin.

Lorsque je me réveillai le lendemain, constatant ma solitude, je me demandai si tout cela n'avait pas été qu'un rêve. Mon corps rassasié et assouvi était là pour me confirmer que tout avait été bien réel. Je regardai autour de moi et ne vis aucune trace de mon amant. Légèrement déçue, je me consolai en me disant que, après une entrée en matière aussi tumultueuse, le retour à la réalité n'aurait pu qu'être décevant. Ainsi, je gardais ces souvenirs intacts et pourrais toujours m'en délecter dans un moment creux.

Je repris donc mes activités régulières mais continuai d'être habitée par l'exaltation de cette rencontre.

Et un soir, en revenant de mon travail, je le trouvai dans le hall de mon immeuble. Un malaise difficile à décrire s'empara de moi, cet endroit neutre m'apparaissait bien loin de nos ébats lubriques. De plus, j'avais devant moi une personne dont je ne connaissais rien si ce n'était son intimité profonde ! Que dire à quelqu'un que l'on rencontre après s'être éclaté toute une nuit avec lui ?

Je m'aperçus que je voulais garder intacts les moments de perfection que nous avions vécus sans les diluer dans des propos banals ou des activités courantes. Il sembla comprendre mon attitude, disons légèrement désemparée, et se contenta de m'embrasser longuement avant de s'éclipser. Je demeurai là quelques instants et finis par me dire que j'étais complètement idiote de l'avoir laissé filer comme ça (ma peur de l'envahissement devenait-elle maladive ?).

Lorsque je rentrai chez moi, je vis que des messages m'attendaient sur mon répondeur ; le troisième était de Vincent. Il me disait que, malgré mon accueil peu chaleureux, il souhaitait me revoir avant son départ pour la Russie et il me laissait le numéro de son téléphone portable.

Au fond, de quoi avais-je donc si peur ? Au pire je m'en tirerais avec un plaisir limité (ce que j'avais vécu de nombreuses fois avec des amants médiocres) et au mieux il m'emmènerait au septième ciel. Et puis ne venait-il pas de me dire qu'il quittait la ville dans quelques jours ?

N'écoutant que l'appel de mon entrejambe, je composai son numéro et sa voix chaude m'annonça qu'il était tout près et qu'il montait tout de suite.

Cette fois, j'ouvris la porte avant son arrivée (aucune inquiétude sur la personne qui se présenterait devant moi...), allumai quelques bougies et l'attendis bien sagement au bout de mon lit, habillée de la tête aux pieds. Cette nouvelle nuit qui venait serait un enchantement et le tantrisme serait à l'honneur.

Ensuite, il repartirait, pour mieux revenir...

SOIR DE PREMIÈRE

Ce soir après avoir bu quelques verres de vin avec mon amant du moment, j'ai envie de faire des folies et de folâtrer autrement qu'en sa seule présence. Non pas que je sois prête à faire une croix sur les plaisirs dont il est le détenteur exclusif, mais je veux poursuivre cette quête de jouissance commencée il y a déjà plusieurs années.

Je me rappelle de la première fois comme si cela s'était produit à l'aube de cette journée. Le type, assez peu intéressant pourtant, m'avait surprise en plein sommeil, sommeil que j'avais vite quitté. C'était un ami de voyage de mon frère à qui j'avais gentiment offert le gîte. Ma bonté et ma générosité avaient en fait été très bien récompensées par cette virée au pays des merveilles à laquelle il m'avait conviée.

Je le sentis se faufiler sous mes draps et m'aperçus vite qu'il ne s'agissait pas d'une visite de courtoisie. La tumescence de son sexe contre mes fesses ne nécessitait pas davantage d'explications. Curieuse et excitée, je fis semblant de dormir. Il prit son membre dans sa main et se fraya un passage jusqu'à ma forteresse qui avait toujours été bien gardée. L'espace disponible fut rapidement comblé et bien occupé.

Une fois le premier passage franchi (douleur tout de même saisissante !), je me rendis compte que je répondais de façon automatique à ses mouvements. Sa queue glissant en moi était source de contradiction, mais le plaisir ressenti masquait tout le reste. La chaleur de son membre irradiait au fond de moi et je jubilais de cet abandon « hypocrite ». La chose ne dura pas longtemps et, après avoir lâché son sperme que je sentis couler entre mes cuisses, il disparut aussi subitement qu'il était apparu.

Je n'avais pas eu la joie de connaître l'orgasme à ce moment-là, mais mes œillères étaient enlevées et je découvrais le ciel pleine grandeur. Cette nuit-là, je sus que mon exploration allait se poursuivre. Je ne savais pas où cela me mènerait ni quel chemin je devais suivre, mais je pensais que toutes les expériences vécues serviraient à l'épanouissement de mes sens et demanderaient une participation active de mon centre de plaisir.

Depuis, bien des périples ont jalonné mon parcours. Je suis devenue une fille ouverte et consciente du pouvoir de mes appâts sur la gent masculine. Ma naïveté a vite été remplacée par une connaissance intuitive des comportements et attitudes du mâle.

Je reconnais l'appel de l'homme au premier regard, car il n'est pas doué pour la dissimulation. Heureusement il a bien d'autres talents. Il ne faut jamais oublier que certains hommes ont aussi appris à connaître le genre féminin ; on les appelle les « hommes à femmes ». Ils sont peut-être plus difficiles à déchiffrer mais demeurent les meilleurs. Et ce, tant dans un lit que dans la vie.

Après cette introduction, vous ne serez pas surpris de connaître mon envie du jour. Ce soir, je désire approfondir mes connaissances et me glisser dans un lieu quasi exclusivement réservé aux hommes. J'irai contempler les femmes ondulant et se caressant au son de la musique et en évaluerai les effets dévastateurs sur les hommes présents et peut-être sur moi. Mon jules s'unit à moi dans ce nouveau fantasme et notre connivence se trouve renforcée par l'alcool ingurgité. Personne n'ignore l'effet de cette substance sur les inhibitions et la confiance démesurée qu'elle nous fait parfois éprouver.

Nous quittons donc notre cocon intime en taxi (désinhibés mais pas cinglés !), j'apprécie particulièrement ce mode de transport à deux ; on s'y sent isolé tout en étant sous observation. Mon goût de l'exhibition s'y trouve constamment interpellé et je résiste rarement à cette stimulation.

Ce soir, j'ouvre la braguette de mon compagnon en faisant un sourire coquin au chauffeur, puis je penche ma tête vers ses bijoux de famille. Je prends d'abord son gland entre mes lèvres pulpeuses et le pompe doucement. En entendant ses soupirs encourageants, je m'enhardis et ajoute de la vigueur à mes mouvements ainsi qu'à la pression de ma langue. Je me sers de ma main pour bien stabiliser la base de son pénis et le fais glisser dans ma bouche de façon répétitive.

Son sexe ayant maintenant la dureté voulue, j'augmente mon plaisir en interrompant momentanément mon activité. Je relève mon visage vers lui et il m'embrasse goulûment. Je comprends le message et son état d'excitation n'en est que plus savoureux pour moi, je le prends de nouveau dans ma bouche, mais cette fois pour un simple au revoir.

Pas question qu'il ait l'avantage ce soir. Et puis, un homme mis en appétit est prêt à exaucer tous nos souhaits. L'expérience a des avantages qu'il faut savoir utiliser. Et puis, la voiture ne vient-elle pas de s'immobiliser à l'adresse indiquée ? Je descends sur le trottoir et fais un clin d'œil à notre chauffeur, chauffeur qui se rendra fort probablement dans un coin sombre afin de faire disparaître ce monticule apparu sous son pantalon.

Cet intermède nous a mis dans les meilleures dispositions et nous entrons dans l'établissement le cœur en fête et l'intérieur embrasé.

La clientèle est composée d'hommes de tous âges, seul, en groupe et parfois en couple. Nous ne sommes pas un cas isolé de déraison. Le partage rassure toujours. Nous choisissons une table près de la scène, mais légèrement à l'écart des autres.

La première femme à se présenter est vêtue en écolière et coiffée de nattes, la beauté de son corps est indéniable mais son scénario ne crée aucun émoi en moi. Ce n'est pas cependant l'avis général du public, puisqu'elle reçoit de nombreuses invitations aux tables dès la fin de ses trois numéros. Tous les goûts sont dans la nature.

Celle qui prend la relève est d'un genre très différent ; une beauté des îles, le corps bien musclé sous ses vêtements noirs et blancs de petite servante (décidément les ingénues sont à l'honneur !). Sa mine sérieuse et désinvolte attire mon attention. Elle paraît totalement insouciante de l'effet qu'elle fait à ses admirateurs et admiratrice (moi !).

Je comprends l'indifférence qu'elle affiche devant ce public masculin quand ses yeux se posent sur moi. Je sais que l'exhibition qui va suivre sera pour moi et moi seulement. Elle s'installe sur scène de façon à ce qu'on la voie bien de notre table et langoureusement ôte un à un ses vêtements. La fille est grande ; ses petits muscles, bien découpés ; la poitrine, opulente et ferme ; le mont de Vénus, taillé en triangle.

Son alanguissement fait croître mon agitation, mes sens sont à l'affût de ce qui se prépare. Elle s'assoit sur une chaise de bois, mettant ses jambes élancées de chaque côté, et commence à se caresser. La tête légèrement inclinée vers l'arrière, les yeux entrouverts, elle fascine son public.

J'ai l'impression de vivre son plaisir, j'aspire à y prendre part. Son regard s'accroche au mien, je soulève le bas de ma robe et me mets discrètement à me caresser. Mon amant, conscient de notre petit jeu, me lance des regards concupiscents à souhait. L'atmosphère est chaude et mon sexe brûle sous mes doigts. Je jouis dans un silence expressif et vois dans le regard éloquent de ma star qu'il s'agit d'une communion.

Je reprends une position plus convenable et me remets de mes émois pendant qu'elle se rhabille. La magie du spectacle était contagieuse et je viens d'en être victime. J'accepterais même d'en devenir la martyre ! Mon alter ego me prend la main, m'invitant à quitter les lieux. Je lui fais comprendre qu'il est encore trop tôt pour moi. J'ai ma petite idée derrière la tête, je veux nous réserver un petit moment d'intimité avec cette déesse inconnue.

J'attends qu'elle soit disponible et un seul sourire suffit pour qu'elle s'approche de notre table. Je lui exprime mon désir et elle demeure là, près de nous, attendant que la prochaine chanson commence. Alors, elle se met à danser, nous frôlant sans cesse dans ses mouvements et obnubilant nos pensées. L'interdiction de toucher nous rend dingues. L'excitation étant à son comble, j'ai l'audace de lui donner nos coordonnées et nous prenons la direction de la sortie.

Pas question d'attendre le retour à l'appartement, mon complice me prend par la taille et m'entraîne vers la ruelle. Après avoir jeté un regard autour de nous pour s'assurer que nous sommes seuls, il fait descendre une échelle de secours où je m'assois, j'enlève mon slip pendant qu'il se défait de son pantalon. Les préliminaires étant bien consommés, je subis l'assaut de mon héros dans la joie. J'ai envie de ferveur, de passion, d'ardeur et il m'offre le tout avec générosité.

Je veux qu'il frappe le fond de mon sexe, qu'il me fasse exploser. La tension accumulée doit être libérée. Nous sommes comparables à deux toxicomanes en manque qui se retrouvent devant un kilo d'héroïne. Je me gorge de lui, affamée de plaisir, sans me soucier du métal qui me meurtrit le bas du dos.

Mes hanches répondent à ses coups de boutoir à l'unisson. Nous jouissions à travers notre fée, notre bonne fée qui par ses pouvoirs magiques nous a fait monter au sommet de l'extase. Un orgasme réciproque nous laisse enlacés, béats et surpris par la violence de notre plaisir. Nous prenons quelques instants pour revenir sur terre. La nuit est belle et étoilée, une de ces nuits torrides de juillet.

Pour le moment, mon besoin de réjouissances est assouvi et c'est avec reconnaissance que je vois un taxi approcher. Cette fois, pas de petits jeux vicieux sur la banquette arrière. Le corps a aussi parfois besoin de repos. Regardant le visage épanoui et les yeux fermés de mon ami, je trouve encore une fois écho à mon plaisir. Notre association durera sûrement encore quelque temps.

TRAVAIL LUDIQUE

Je sais qu'au travail ma réputation n'est plus à faire, je suis une fille facile, qui aime le sexe et je m'assume totalement en tant que telle. Je ne suis encore jamais arrivée à me contenter d'un seul homme à la fois et cela ne fait pas partie de mes objectifs.

Pour moi, offrir un orgasme, vibrer à l'unisson avec l'autre, s'abandonner totalement dans ses bras est un hymne à la vie. Je ne parle pas de l'hymne à l'amour car, pour moi, l'amour et l'amusement physique sont deux choses bien distinctes.

J'aime particulièrement mon travail actuel car, l'informatique étant le royaume du mâle, le choix est vaste et le plaisir, infini. Mais je choisis toujours mon partenaire. Mes critères de sélection ne sont pas sévères, puisqu'il n'y a que les hommes chauves et bedonnants qui me laissent froide.

Avec eux je sèche sur place et ce malgré de nombreux essais infructueux (je trouvais dommage d'éliminer ainsi une portion tout de même significative des hommes, mais bon !). Il paraît que la perte des cheveux est liée au niveau de testostérone (hormone de la virilité) chez l'homme. Malheureusement, je n'en ai jamais eu la preuve et j'ai décidé de laisser tomber.

Par contre, j'ai une forte attirance pour les grands minces un peu nonchalants. Justement hier après-midi, dans une salle de réunion (bien close tout de même), j'ai eu une aventure avec un analyste qui est tout à fait mon type d'homme.

Tout au long de la rencontre, il me reluquait d'une façon qui ne trompe pas (regard coquin, sourire en coin, petit clin d'œil — pas trop difficile à reconnaître quand même !). Quand les gens se sont mis à sortir, je l'ai regardé flâner et étirer le temps (ça non plus, ça n'avait rien de subtil). Il ne me restait plus qu'à l'imiter.

Une fois que nous avons été seuls dans la salle, j'ai relevé ma jupe, ouvert mon veston, puis je me suis assise sur le bord de la table de conférence et je lui ai souri. Il s'est avancé vers moi. Son visage exprimait le contentement et son pantalon déformé disait le reste. Sans aucun doute, nous étions tous les deux alléchés et troublés.

Il m'a embrassée avidement tout en défaisant les boutons de mon corsage. J'avais envie de lui, de le sentir aspiré par le fond de mon intimité, de l'engloutir en moi. Je répondis à sa voracité avec tout autant d'appétit et fis pénétrer ma langue entre ses lèvres. La saveur d'un baiser annonce ce qui vient et celui-là était doux et plein de convoitise.

Je savourais chacun de ses gestes. Le simple fait de sentir ses mains sur ma peau était source d'embrasement et de ravissement. J'étais conquise par son approche et désirais explorer cette terre inconnue.

J'ai offert de l'oxygène à son membre viril en le libérant de l'asservissement de ses vêtements ; il était large, vigoureux et palpitait de désir sous mes doigts. Je voulais bien recevoir cet invité de marque chez moi, il y serait accueilli avec tous les honneurs qu'il méritait. J'appréciais la fermeté de la tête chercheuse de mon analyste pendant que lui avait l'heureuse surprise de constater que je ne portais pas de culottes.

Satisfait du résultat de sa vérification et de l'absence d'obstacle, il a empoigné mes fesses, a avancé mon bassin sur le rebord de la table et avec avidité s'est engagé dans mon royaume. Je me laissais déshonorer dans l'allégresse et haletais sous ses mouvements. J'ai fermé les yeux afin de mieux apprécier les messages fabuleux que les différentes parties de mon corps me faisaient parvenir.

Lorsque je les ai ouverts, il avait le corps tendu comme une flèche sur son arc, prêt à s'élancer. J'ai commencé à contracter puis à décontracter mes muscles pubo-coccygiens autour de sa verge, je savais qu'ainsi je progresserais avec certitude vers l'extase et que j'y amènerais assurément mon nouvel ami.

Ce pouvoir qu'a la femme de retenir et relâcher sa « proie » demeure encore à ce jour trop peu connu. Il suffit pourtant de quelques séances d'entraînement solitaires pour apprivoiser cette arme secrète et savoir l'utiliser. J'ai bien vu que mon amant n'avait pas eu la chance de connaître le bonheur de cette façon et c'est avec joie que je le lui ai fait découvrir et l'ai incité à le réclamer de nouveau. Le phénomène de succion ainsi créé activait toutes les fibres sensitives de mon vagin et amenait le pénis de mon compagnon à polir mon clitoris, c'était le nirvana.

Ses yeux maintenant rivés aux miens brillaient de fièvre. Le moment était venu d'achever notre escalade et d'atteindre le sommet. Mes bras se sont agrippés à lui et je l'ai encouragé à amorcer l'assaut final. Galant, il m'a permise d'être la première à toucher la cime et, pendant que je me répandais en plaintes muettes, je l'ai senti s'effondrer dans mes bras, le visage entre mes seins.

Certaines aventures sont mémorables ; d'autres, pitoyables. Celle-ci était d'un calibre supérieur et s'il m'arrivait de croiser cet homme de nouveau (ce qui peut toujours s'arranger !), c'est avec plaisir que j'accepterais de me planquer dans une pièce quelconque et que je l'inviterais à me présenter encore une fois sa virilité à toute épreuve. Chose certaine, à mes yeux, sa réputation est sans tache. Ce qui n'est pas le cas de tous les hommes que j'ai croisés.

Justement la semaine dernière je m'étais attardée au bureau afin de finaliser un projet (mes neurones ne sont pas seulement occupés par le plaisir tout de même) et l'étage était quasiment désert quand je vis le concierge qui venait nettoyer nos bureaux. Je savais que je serais seule en rentrant chez moi, la journée ne m'avait laissé aucun répit, bref j'avais bien besoin d'un petit remontant... et aucune envie de jouer les snobs. Je n'ai pas approfondi davantage la question et ai rapidement trouvé un prétexte pour l'aborder.

Un tiroir bloqué a attiré sans difficulté ma victime dans mon repaire. Lorsqu'il a été près de moi, penché en avant, j'ai pu apprécier le contour de ses fesses rebondies et sa taille robuste. Mon souhait avait toutes les chances d'être exaucé. Avec dextérité et rapidité, il est venu à bout du problème. Lorsqu'il s'est relevé, je me tenais tout près de lui et, le félicitant de son habileté, je lui ai dit que j'aimerais bien en bénéficier à mon tour.

Le silence est d'or et j'ai respecté le sien en constatant qu'il m'avait très bien comprise. Il a défait sa ceinture, dégagé son phallus pour le moment assez timide et posé ses mains sur mes épaules de façon à ce que je vienne le révérer avec ma bouche. Ma participation à la préparation apparaissant nécessaire, c'est avec motivation que je me suis mise à la tâche.

Libérant son gland de son col roulé, j'ai insisté sur cette région, me disant que bientôt j'en retirerais tous les bénéfices souhaitables. Sa main sur ma nuque se faisait exigeante et j'ai décidé d'ajouter les sensations tactiles de mes doigts sur la base de son sexe. J'ai alors entendu ses soupirs augmenter de volume. Juste au moment où je me disais que ce petit jeu risquait de faire fondre sa disponibilité pour mon propre plaisir futur, j'ai senti son foutre jaillir dans ma bouche et su que la récréation venait de se terminer.

Il a remballé sa marchandise et repris son boulot. J'ai bien dû admettre que nous venions de faire un échange de services : il avait réparé mon tiroir et j'avais libéré le sien. Au fond, on ne s'était pas si bien compris que ça. Et maintenant il ne me restait qu'à m'occuper de moi. N'y a-t-il pas un proverbe qui dit que l'on n'est jamais si bien servi que par soi-même ?

J'ai ramassé mes affaires et pris le chemin de mon appartement. J'avais hâte de rentrer et d'enfin connaître la libération. Dès mon arrivée, j'ai mis un disque compact de Léonard Cohen (quelle voix sensuelle !), me suis déshabillée et étendue sur le lit. De là, j'ai ouvert le tiroir de ma table de chevet et sorti mon godemiché. Maintenant tout était prêt.

Les yeux clos, j'ai entrepris mon ascension. Seule mais la tête remplie de mes plus belles rencontres. J'ai commencé par faire éclore mon bouton de rose et participé activement à son épanouissement avec mon pouce et mon index. Je l'ai titillé jusqu'à ce qu'il se gonfle de plaisir. Ensuite, j'ai pris mon godemiché et, une fois celui-ci bien enfoncé en moi, j'ai poursuivi mon envolée. Rien n'aurait pu m'arrêter et le voltage de mon corps augmentait de plus en plus, j'étais chaude, excitée à souhait. Ayant suffisamment mis ma patience à l'épreuve ce jour-là, je me suis laissée aller, vibrant à l'unisson avec mes amants imaginaires. J'étais enfin dédommagée de cette longue journée de labeur.

Heureusement que le sexe est une source intarissable de plaisir (pour la femme du moins !), car ce plaisir demeure sans comparaison avec celui que me procurent les autres sphères de ma vie.

UN MONDE SECRET

Cela fait bien six mois qu'il me répète inlassablement le même discours, sous différentes formes évidemment, mais toujours pour en arriver au même point. Devenir un couple échangiste, un couple ouvert. Un couple en évolution. Cela revient bien au même, non ? Il veut tout simplement dire qu'il a envie de sauter une autre fille et, comme si ce n'était pas assez, il souhaite que j'en sois témoin. Et puis quoi encore, que je fasse dans le sadomaso, que je lui tourne un bon porno ?

Mais bon, il semble que, après dix ans de vie commune à voir nos corps sous toutes leurs formes et dans tous leurs états nous en soyons là, c'est-à-dire à devoir choisir entre l'adultère classique et l'échangisme. En fait, si l'on y regarde bien, on se retrouve au même point et on parle d'adultères mutuels mais consentants.

En y réfléchissant, je me dis que c'est tout un nouveau monde que je pourrais découvrir. Combien de fois déjà m'est-il arrivé de penser aux hommes que j'avais croisés dans la journée et sur lesquels je laissais courir mes fantasmes ? Ces hommes que je retrouve dans mes plaisirs solitaires pourraient éventuellement faire partie de cette exploration.

D'accord, c'est ce soir que je lui annonce que je suis partante. Pour lui faire plaisir, bien sûr.

Lorsque mon homme revient du boulot, je ne précipite pas les choses et le laisse me raconter les événements de sa journée. C'est en mangeant, après son premier verre de vin, qu'il reprend son discours. « Tu sais, j'ai parlé avec un ami qui m'a dit avoir pratiqué l'échangisme avec sa blonde et qui m'a affirmé que l'expérience avait donné un nouvel envol à leur couple. » Tiens donc, j'ai l'impression d'avoir déjà entendu ça quelque part.

Je le regarde dans les yeux, fait une petite moue hésitante et lui réponds qu'après réflexion je suis d'accord pour tenter l'aventure. Pour lui faire plaisir, bien sûr.

Réaction de surprise dont il revient rapidement en me sortant une chemise remplie de petites annonces personnelles, de publicités pour des clubs privés et d'adresses Internet. Je m'amuse à regarder tout ça en ressentant une légère excitation à l'idée de ces promesses de plaisir.

Mais par où commencer ? Et puis, tant qu'à secouer notre couple, nous nous décidons pour le grand coup et le plus grand choix. Samedi soir, nous nous dirigerons vers la rue Faillon où se trouve un club pour adultes consentants.

En attendant (nous sommes jeudi), pas de discussion sur le sujet. Puisque nous avons décidé d'être un couple libre, chacun laisse toute liberté d'action à l'autre et c'est là que mon homme risque d'avoir des surprises. Déjà, je vois son regard qui s'attarde sur moi et ses yeux qui se posent mille et une questions. Je sens que je vais bien m'amuser.

Le lendemain, je profite de mon heure de repas pour me rendre dans un sex-shop du centre-ville et, là, j'hésite. Devrais-je opter pour le noir toujours si érotique et excitant ? Pour le blanc si virginal ? Un compromis entre les deux, du genre rose ou mauve ? Non, je penche de plus en plus vers le blanc, idéal pour l'image de la femme pleine de retenue que je projette, et me dirige vers la cabine d'essayage. Je fais quelques essais infructueux pour finalement arrêter mon choix sur une guêpière classique avec balconnets offrant bien mes seins en pâture, pas de slip mais de jolis bas fins retenus par un porte-jarretelles. Ce sera parfait.

Je me regarde dans cet immense miroir et suis tout à fait satisfaite du résultat obtenu. Je paie tout ça à la caisse et retourne bien sagement au travail.

Mes pensées vagabondent de plus en plus vers cette soirée qui se rapproche dangereusement et, la nuit précédant cette escapade, mes rêves sont habités par des hommes et des femmes, des exhibitions d'organes sexuels, des mains qui se promènent sur ma peau, des soupirs, des voix chaudes...

Je me réveille passablement étonnée par l'activité de mon inconscient et me dis que la soirée qui m'attend risque de ressembler aussi à un rêve. Un rêve axé sur la séduction, le désir, le ravissement et, j'espère, l'envoûtement.

Mon complice est de bonne humeur, les yeux lumineux et le sourire aux lèvres. Doucement, il promène ses mains sur moi et me ramène rapidement à mes sensations nocturnes. Un homme qui connaît les endroits à parcourir pour enflammer sa femme a aussi ses avantages. Avec lui, je suis impatiente car je sais qu'il a le pouvoir de m'amener très loin en très peu de temps.

J'approche mes lèvres de son oreille et le guide par mes chuchotements. Ses doigts sur mon sexe ont l'habileté de l'expert, ses gestes circulaires sur mon délicat bijou le font gonfler et s'engorger de sang, jusqu'à ce qu'il éclate, me laissant dans l'orbite de la plénitude.

Rassasiée momentanément, je me laisse porter par cette vague de plaisir jusqu'à ce que son noble membre accède à ma non moins noble fissure. Cette chaleur, toujours renouvelée, qui m'envahit à cet instant est la chose la plus agréable que je connaisse. Elle prend son départ dans cette partie encore mystérieuse de mon anatomie, puis descend dans mes jambes pour remonter le long de mon thorax et faire jaillir les pointes de mes seins. C'est la volupté complète. Dans ces moments-là, je me dis que si la mort venait me cueillir dans cet état, je l'accepterais bien volontiers.

Fraction de seconde de pur bonheur qui me permet d'entrevoir que cette félicité peut être encore plus grande quand je sens sa verge entreprendre de longs et doux mouvements de va-et-vient. Tout mon intérieur le réclame et l'incite à poursuivre. Prends ton temps mon amour, n'accélère pas trop la cadence, laisse mon sexe t'envelopper, permets à mes moindres replis de se resserrer autour de ton phallus.

Je sens la sueur sur son dos, j'y fais glisser mes doigts et l'amène à se retourner afin que sa verge puisse me pénétrer en profondeur. J'aime voir son visage dans l'attente et l'affolement. Sa lasciveté décuple mon plaisir et cette position me permet de contrôler le rythme de sa cadence, ce qui n'est pas négligeable. Lentement, je descends ma poitrine sur la sienne et m'amuse à promener mes pointes fermes sur son torse. Cela le rend toujours un peu plus sauvage. Il prend alors mon bassin entre ses mains et part à la recherche du nirvana.

Qu'il est beau, l'homme, à ce moment-là ! Ces cris, ces soupirs exquis ne font qu'accélérer notre course vers l'objectif. Aujourd'hui, il y arrivera avant moi mais cette fois j'ai une bien belle consolation. La journée ne fait que commencer et tous les espoirs sont permis sur la façon dont elle se terminera.

Après avoir rendu grâce à la vie et aux sens dont nous disposons, retour à la réalité. La journée se poursuit dans l'individualisme et dans la réalisation de toutes ces petites choses du quotidien.

De l'extérieur, rien n'est perceptible. À l'intérieur, je suis dans l'expectative de cette soirée, je suis pleine de fébrilité face à cette nouvelle expérience qui m'attend. Je devrais sûrement dire qui « nous attend », mais je me surprends à constater que je n'ai guère d'appréhension quant aux sources de plaisir que mon homme risque de découvrir. Dans mon esprit, il devient l'outil qui me permettra d'accéder à un autre univers, et je lui en suis reconnaissante.

Une courte période de repos et c'est la préparation : toilette (tout doit être prêt pour les assauts imprévisibles), habillage (lingerie blanche sous des vêtements noirs), léger parfum (Poison ? Pourquoi pas ?) et me voilà fin prête pour la grande aventure.

Nos regards se croisent ; le mien exprime le défi, la bravade ; le sien, la joie et le plaisir. Déjà, tout me semble différent entre nous. Oserons-nous raconter la jouissance ressentie avec des inconnus, le plaisir vécu sans l'autre ? Le club étant à proximité de notre appartement, nous y allons à pied, silencieux l'un contre l'autre.

Pas de directives, pas d'ententes secrètes. La liberté jusqu'au bout. Suffisamment libres et lucides pour savoir que nous entrons là avec un but clairement énoncé : le plaisir sous toutes ses formes. Épicurisme ? Perversité ? Nous analyserons tout cela plus tard.

Le club est là, anonyme, n'annonçant pas ses activités illicites. Mon homme ouvre la porte d'un air franchement décidé et m'accorde la priorité de la pénétration (ça promet !). Mon cœur se calme ; maintenant que je suis dans l'antre du diable, j'y reste.

Une seule pièce, immense heureusement. Il est certain que ce n'est pas un endroit pour les timides.

Tout au plus une centaine de personnes. Je me dirige vers le bar pendant que mon compagnon prend la direction des toilettes. Je commande un verre et apprivoise les lieux. Tout semble plutôt normal. Il y a bien quelques ébats amorcés ici et là, mais cela ne ressemble pas à une orgie mémorable. Il est encore tôt. Je vois de nombreux visages, tant féminins que masculins, se tourner discrètement vers moi. La nouveauté n'a-t-elle pas toujours attiré ? Un homme s'approche, dit quelques mots au barman en me décochant de brefs regards, puis repart vers un groupe au fond de la pièce.

Bon, je reste là à attendre ou je fonce et me joins aux personnes « diaboliques » occupant ce lieu ? Je n'ai toujours pas trouvé la réponse quand une femme (plutôt attirante, j'avoue) se présente devant moi, me prend par la main et m'entraîne avec elle dans un cercle de gens qui s'enlacent au rythme de la musique. Et là, la réponse me vient: je fonce.

Elle est devant moi, me pénètre de son regard et me déclare qu'elle se prénomme Juliette et qu'elle souhaite partager de beaux et grands secrets avec moi. Je l'observe et constate que cette situation fait émerger en moi des sensations surprenantes. J'ai envie de toucher cette femme, de sentir la courbe de ses seins se transformer sous mes mains, d'effleurer son sexe avec ma langue et de l'entendre en redemander. Toutes ses images passent à la vitesse de l'éclair dans ma tête et je sens mon corps s'échauffer.

J'approche mon visage du sien et embrasse ses lèvres onctueuses avec délices. Constatant sa bonne volonté, mes mains partent à l'aventure sous son chandail où j'ai la grande joie de constater la liberté de ses seins. Je la caresse doucement et me sens de plus en plus excitée.

C'est à mon tour de la prendre par la main et de l'amener dans un endroit plus confortable. Un sofa bien moelleux ne semble attendre que nous. Pendant que nous nous dirigeons vers cette couche, il me reste suffisamment de lucidité pour remarquer que plusieurs hommes nous suivent du regard avec beaucoup d'intérêt.

Pour l'instant, je n'ai d'yeux que pour celle qui m'accompagne, mais nul doute que différentes suites s'offrent à moi.

Lorsque nous arrivons au lieu convoité, j'entreprends de la déshabiller. N'ayant jamais senti d'autre corps féminin sous mes doigts que le mien, je suis enchantée des découvertes que je fais. Sa peau ferme et satinée, ses seins exprimant le plaisir, son sexe complètement épilé augmentent considérablement les sécrétions de mon corps.

Ses yeux rieurs semblent s'amuser de mon enthousiasme d'exploratrice. Elle commence alors à me toucher et je m'aperçois que nous n'en sommes sûrement pas au même niveau d'expérience. Sa main se faufile habilement sous ma jupe et enveloppe ma fleur bien mouillée, elle y enfonce deux doigts et se promène dans mon intérieur en y explorant chaque centimètre et ce, jusqu'à ce qu'elle atteigne cette zone de circonférence réduite et de texture différente.

Elle s'y attarde et ajoute la pression nécessaire. La montée du plaisir commence et ne s'arrête plus. Je sens que je vais mouiller tout ce qui m'entoure, mais elle continue jusqu'à ce que j'atteigne le sommet et que je jouisse en cambrant mes reins vers le ciel. Un vrai miracle. Une jouissance grandiose.

Je la regarde d'un air légèrement contrit, me disant qu'il est temps que je m'occupe d'elle, quand je la vois faire un signe à un homme. Elle me demande alors de poursuivre notre aventure avec lui. Je suis bien aise d'accéder à sa demande et cet individu n'a rien pour me déplaire.

Il vint s'asseoir à côté de ma compagne, il la caresse d'une main de connaisseur tout en m'invitant à m'approcher. C'est là que j'entre dans le monde magique des multiples sensations. Pendant qu'il la pénètre, elle tourne son visage vers moi et me demande d'amener ma vulve à sa bouche. Je refuse son invitation mais sans renoncer à notre aventure scandaleuse. J'enfouis mon visage entre ses seins et m'enivre de ses effluves. Je ne sais trop de quels phéromones est composé son parfum, mais son effet sur moi pulvérise le peu de retenue qu'il me restait.

Je veux la voir se pâmer, je veux l'entendre crier de plaisir. Je prends son sein dans ma bouche, lèche cette rondeur veloutée et me réjouis de ses supplications, de ses réclamations. La splendeur d'une femme, son corps s'arcboutant contre le sol, n'écoutant que les sensations explosives de la chair ressemble à un volcan en éruption. Je suis aux anges dans ce repaire satanique.

Pendant que l'homme se retire et que la lave de ma compagne se dépose sur ma cuisse, je sens deux mains puissantes poser un morceau de tissu sur mes yeux. Rapidement, je sens le frôlement de plusieurs mains sur différentes parties de mon corps. Un membre viril ouvre mes cuisses et s'y faufile pendant que des bouches s'attardent sur mes seins et mon ventre. L'inconnu bouge en moi, s'enfonce toujours plus profondément, puis se retire. Chargé à bloc, il revient (est-ce bien le même ?), s'emballe. Je bouge avec lui comme un disciple suivant son maître. Mon corps est survolté. Une véritable folie de sensations s'empare de moi. Y a-t-il un summum au contentement ? Jamais je n'ai reçu de telles décharges dans mon cerveau. Une vague de chaleur s'abat sur ma perle et la tempête se précipite sur mes neurones. Tout n'est qu'éclosion et explosion.

Mon bandeau est retiré, ma compagne a disparu, les autres aussi. Je suis seule, assouvie, émerveillée. Pourtant, le retour à la réalité est étrange. Je récupère mes vêtements éparpillés et m'habille.

C'est en levant les yeux vers le bar que j'aperçois celui qui est à l'origine de cette aventure délirante. Son regard est fixé sur moi, je m'approche de lui et l'entends me dire que jamais il n'aurait cru possible de voir jaillir une telle source de plaisir de moi, que je suis d'une beauté luxuriante et qu'il adore la petite démone que je suis devenue sous ses yeux.

J'ai alors la sensation que je ne m'appartiens plus. Je sais que je n'oublierai jamais. Je sais aussi que je reviendrai toujours, toujours à ce monde secret.

UNE DESTINÉE AMORALE

Je suis prostituée. La vie m'a menée au commerce de mes charmes et j'ai accepté cette vocation comme d'autres deviennent secrétaire, mère de famille ou médecin. Heureuse de faire un pied de nez aux normes de la société, de cracher sur les belles fausses valeurs de la collectivité, je prends grand plaisir à être une marginale, une non-conforme indépendante.

Mon histoire a commencé de façon bien simple. Encore adolescente, il était de ma responsabilité de me rendre chez les commerçants de notre petit village et de dénicher tout ce dont ma famille avait besoin : nourriture, vêtements et alcool. Ayant déserté la maison familiale et n'y revenant que rarement, mon père avait laissé sa femme et ses quatre enfants dans la misère. Que restait-il à ma mère ?

Sans éducation et sans talent particulier, comment pouvait-elle arriver à subvenir aux nombreux besoins de sa progéniture ? Elle avait donc tenté d'intéresser quelques hommes à sa personne. Elle les invitait en fin de soirée lorsqu'elle nous croyait tous endormis, mais s'était vite aperçue que les cauchemars des plus petits, l'asthme du plus grand et tous les autres problèmes familiaux ne l'aidaient aucunement dans ses affaires et que la récolte était bien maigre et insuffisante.

Et ça, c'était sans compter les crises épouvantables du paternel lorsque, ne sachant pas où dormir, il revenait à la maison. Il s'emportait violemment et empochait du même coup la recette de la journée.

J'étais l'aînée des filles et je devais faire face. À seize ans, mes formes étaient épanouies et j'étais suffisamment lucide pour remarquer les coups d'œil lubriques que les hommes du village me lançaient. Donc, voyant les piètres résultats de ma génitrice, je pris la relève. Ma mère ne m'a jamais rien demandé, nous n'en parlions même pas, mais sa reconnaissance remplaçait l'approbation et le soutien dont j'aurais pu avoir besoin.

Je ramenais quelque chose à la maison presque tous les jours et j'étais assez fière du succès de mon entreprise et du pouvoir que cela me conférait au sein de mon clan familial. Et puis, je ne vous cacherai pas que les plaisirs de la chair étaient loin de me dégoûter. D'ailleurs, celui dont nous avions le plus souvent besoin (l'épicier !) me plaisait bien. Il était tendre et délicat, et en plus facile à satisfaire. Une petite branlette, un bon pompage et le tour était joué. Je repartais avec les denrées nécessaires pour les deux prochaines journées. Nous faisions simplement du troc : sa marchandise contre la mienne.

Jamais je ne me suis sentie abusée (du moins pas à cette époque), j'avais compris tôt que dans la vie je n'aurais rien pour rien et il m'apparaissait normal d'offrir pour recevoir. Il y avait cependant des jours difficiles dans le mois où les demandeurs se faisaient plus rares, c'était la période « rouge ». En fait, seul le boucher montrait un intérêt constant. Et Dieu sait qu'il n'était pas mon favori. Mais comme disait la maternelle : « En cas de disette, on est pas r'gardant sur le manger. » Il fallait seulement espérer que le frigo ou le chauffage ne nous laisse pas tomber à ce moment-là.

Ce qui jouait en ma défaveur m'apprit qu'en affaires je devais diversifier mes services. M'ajuster aux tendances du marché était primordial. Mais je découvris aussi que si les tendances se modifient, les fondements de mon travail restent toujours les mêmes.

Les hommes ont besoin de s'épancher et de vider leurs belles bourses. Les femmes sont discrètes, craignent de montrer leur animalité et font tout pour l'annihiler. Tant que la nature de la femme sera ainsi entravée, les prostituées conserveront une place privilégiée aux yeux de la moitié de l'humanité.

Personnellement, j'ai besoin de sexe dans ma vie, un besoin constant, et je me suis bien arrangée pour ne pas en manquer. J'aime le contact corporel des mâles, leur tendresse brute, leur honnêteté dans le désir et leur reconnaissance face aux faveurs reçues. L'homme idolâtre la femme et cet hommage me chavire.

Aujourd'hui je ne suis plus très active dans la profession, mais je conserve certains clients fidèles. Moi qui ai passé ma vie à donner et à recevoir du plaisir, à me sentir désirée et convoitée, je ne peux imaginer vivre sans ces émotions.

Je ne doute pas un instant que j'ai exercé le plus beau métier du monde. J'ai vu tant de visages anxieux, renfrognés, timides entrer dans mon appartement et en ressortir soulagés, contents et satisfaits d'eux-mêmes que je ne peux douter des bienfaits que j'ai apportés à l'humanité. J'ai permis à des couples d'éviter la rupture, j'ai participé à l'épanouissement des hommes, j'ai fait découvrir le monde du plaisir aux puceaux, j'ai consenti à la réalisation de nombreux fantasmes, la liste est infinie.

En fait, je garde peu de mauvais souvenirs de ma carrière, surtout depuis que je suis tout à fait indépendante. Car il est certain que lorsque j'ai débarqué dans la grande ville, j'ai dû m'adapter. La racaille des proxénètes avait trouvé une belle proie en moi et il m'a fallu plusieurs années pour arriver à m'en libérer.

Un client bien nanti qui s'était épris de moi m'a aidée à sortir de cet abrutissant travail à la chaîne. Cet homme fait, depuis ce jour, partie de mes amis, peut-être pas au sens où on l'entend généralement, mais il est très significatif dans ma vie.

Il peut paraître surprenant que la fidélité prenne une place importante dans la vie d'une prostituée ; pourtant, un client qui revient demeure la plus belle preuve d'amour que l'on puisse recevoir. Et j'avoue avec fierté que j'en ai été comblée.

Joseph, par exemple, est venu chez moi à l'âge de vingt-trois ans. Puceau et intimidé, il a fait une entrée tout en douceur dans ma vie. J'ai eu grand plaisir à améliorer ses connaissances sur la femme. Chaque rencontre était différente mais les premières ont été les plus belles car je pouvais constater d'une fois à l'autre l'assurance que lui procuraient ses découvertes. Il y a ensuite eu la phase de reconnaissance où tout ce qui lui importait était de me faire monter au plafond. Un, deux, trois orgasmes, ce n'était jamais suffisant. Il aimait particulièrement sentir mes muscles vaginaux se contracter autour de son doigt lorsqu'il me faisait jouir, aucune feinte n'était possible avec lui. Souvent il se masturbait en me donnant du plaisir. Me voir en pleine ascension l'excitait jusqu'à l'exultation.

Puis, satisfait, il me payait. C'est pas un beau travail, ça ? Il est venu me voir régulièrement jusqu'à la trentaine. Ensuite, il passait à l'occasion, pour se libérer et évacuer la pression, disait-il.

Évidemment, certaines particularités de mes clients étaient plus agréables que d'autres. Ceux qui ne juraient que par la sodomie n'ont jamais été mes favoris, sauf une fois. Mais quelle fois ! C'était notre première rencontre, la seule aussi. Assez réservé, il m'avait exprimé son désir de me prendre par en arrière et m'avait demandé de me bander les seins et de camoufler mes longs cheveux sous un vieux béret noir qu'il avait apporté. Une fois ainsi travestie, je m'étais bien enduit la rondelle de lubrifiant et m'étais mise dans la position souhaitée.

Avec vigueur, il m'avait prise d'assaut et avait joui en l'espace de deux minutes. Il avait alors doublé mon tarif en me remerciant de lui avoir donné le courage d'assumer son goût pour les hommes. Décidément, une libertine, ça sert à tout... C'est l'unique fois où la sodomie m'est apparue comme une bonne chose.

J'abdique assez facilement aux demandes de mes clients et j'ai même du plaisir à jouer au sadomaso, sans réelle souffrance quand même. Quand j'ai pris conscience du plaisir que j'en retirais, j'ai eu honte. Je me suis interrogée sur ce plaisir de jouer avec la souffrance, sur mes vils penchants, et en suis arrivée à la conclusion que la façon dont on obtient la satisfaction est peu importante pour autant qu'il s'agisse de la volonté des personnes présentes. J'ai donc balancé toute cette culpabilité et ai repris mon petit jeu de maître et victime.

L'excitation que me procure la vision d'un homme me suppliant de le faire souffrir est sans comparaison. Je n'en comprends pas les fondements, mais les résultats sont là. Je m'humidifie dès le début de la séance et ce sans le moindre attouchement. Si aujourd'hui je n'ai aucun embarras face à cette pratique, je n'en ai pas fait ma spécialité de crainte de me laisser entraîner dans une réelle perversion. Je suis donc demeurée une généraliste ; un peu de tout à des prix raisonnables demeure ma marque de commerce.

À cinquante-huit ans, je suis encore une femme désirable (nulle grossesse et tout le temps nécessaire pour bichonner mon corps, ce qui m'a permis de conserver une enveloppe corporelle alléchante !), je ne gagnerais probablement pas le premier prix dans un concours, mais mon expérience m'attache bien des hommes.

De toute façon, je ne crois pas que j'aurais l'énergie de faire face à la demande que j'ai déjà connue. Une à deux visites par jour me suffisent amplement, surtout avec les nouveaux risques que le métier comporte.

Ce soir, j'attends Félix. Client assidu depuis cinq ans, il est par contre peu constant dans ses demandes. Un seul scénario revient et c'est celui de la petite ingénue qui découvre, dans l'extase, les joies de l'amour (cela me ressemble de moins en moins, mais le client est roi !). Ils ne sont pas rares, ces hommes, fiers comme des paons à l'idée d'apporter plénitude et bonheur sexuels à la femme. Certains sont plus égoïstes mais la plupart ont besoin que leur partenaire exprime son plaisir pour atteindre le sommet.

Donc, Félix se présentera et je l'attendrai comme s'il était l'unique personne que je souhaite avoir auprès de moi. Je lui accorderai toute mon attention et ferai tout ce qu'il souhaitera. Je n'exigerai rien (sauf son argent, bien sûr!) et il ira rejoindre sa gentille femme qui le trouvera bien reposé après une si longue journée de travail et surtout bien disposé à son égard (je n'invente rien car il aime me raconter l'impact de nos rencontres sur sa vie sexuelle avec sa femme).

Lorsqu'il sera parti, je changerai d'appartement et me retrouverai dans mon univers personnel, là où mes clients n'ont jamais pénétré. Je mangerai un morceau, prendrai une bonne douche et me relaxerai. Il n'y a rien qui me détende davantage que de regarder certaines séances que j'ai filmées. Je n'ai conservé que celles qui sont empreintes de tendresse et de complicité; ce sont mes romans Harlequin à moi.

Je serais menteuse si je vous disais que la solitude ne me pèse pas. Une femme de petite vertu ne construit pas son avenir, elle ne vit que son présent. Pas de mari, pas d'enfant, peu d'amis mais une existence remplie de plaisirs instantanés. La perfection n'existe pas et pour moi les satisfactions sont plus nombreuses que les sacrifices.

Ma destinée était toute tracée et je l'ai suivie sans me poser de questions. Et même si je suis présentement sur la pente descendante, je continue de m'épanouir à chaque rencontre. Pas de regrets, pas d'amertume mais la tête remplie d'amants attentionnés et de méchants au cœur tendre, de situations cocasses parfois tristes mais souvent délicieuses.

Une vie pleine de vie et de gens qui aiment la vie. Merci la vie!

Table